经·典·故·事·坊

YISUO YUYAN 注音版

伊索寓言

主编/魏红霞
编者/杨维芹

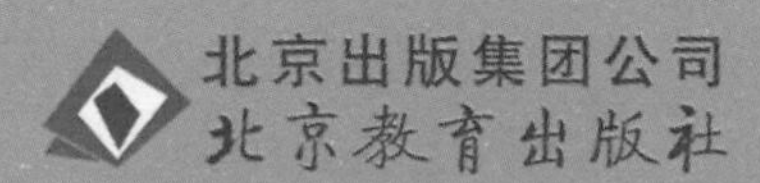

阅读成就梦想 学习改变未来

亲近阅读，分享快乐，爱上读书

全国名校语文特级教师隆重推荐

闫银夫 《语文报》小学版主编

每个孩子都是拥有双翅的天使，总有一天他们会自由地飞翔在蓝天之上。这套书是让孩子双翅更加有力，助推他们一飞冲天的最佳营养剂。

王文丽 全国优秀教师 北京市优秀教师 北京市东城区教育研修学院小学部研修员

好的书往往能让孩子在阅读中发现惊喜和力量。这套书就是专门为孩子们量身定制的，它既有丰富的知识性，又能寓教于乐，让孩子感受到学习的快乐！

薛法根 全国模范教师 江苏省著名教师 江苏省小学语文特级教师

多阅读课外书，不仅能使学生视野开阔，知识丰富，还能让他们树立正确的价值观。这套书涉猎广泛，能使学生在阅读的过程中得到全面发展。

武凤霞 特级教师 河南省濮阳市子路小学副校长

本套丛书从学生的兴趣点着眼，内容上符合学生的阅读口味。更值得一提的是，本套丛书注重学生的认知与积累，有助于提升孩子的阅读能力与写作能力。

张曼凌 全国优秀班主任 吉林省骨干教师

这套书包含范围广泛，内容丰富，形式多样，能满足不同学生的阅读兴趣，全方位扩展学生的知识面。

本套丛书紧扣语文课程标准，以提高学生学习成绩、提升学生思维能力、关注学生心灵成长等全面发展为出发点，精心编写，内容包罗广泛，主要分为五大系列：

爱迪生科普馆

—— 体验自然，探索世界，关爱生命

这里有你不可不知的百科知识；这里有你最想认识的动物朋友；这里有你最想探索的未解之谜。拥有了这套书，你一定能成为伙伴中的“智多星”。

少年励志馆

—— 关注心灵，快乐成长，励志成才

成长的过程中，你是否有很多烦恼？你是否崇拜班里那些优秀的学生，希望有一天能像他们一样，成为老师、父母眼里最棒的孩子？拥有这套书，让男孩更杰出，女孩更优秀！

开心益智馆

—— 开动脑筋，启迪智慧，发散思维

每日10分钟头脑大风暴，开发智力，培养探索能力，让你成为学习小天才！

小博士知识宝库

—— 畅游学海，日积月累，提升成绩

这是一个提高小学生语文成绩的好帮手！这是一座提高小学生表达能力的语言素材库！这是一套激发小学生爱上语文的魔力工具书！

经典故事坊

—— 童趣盎然，语言纯美，经典荟萃

这里有最经典的童话集，内容加注拼音注释，让学生无障碍阅读，并告诉学生什么是真善美、勇气和无私。

图书在版编目（CIP）数据

伊索寓言 / 魏红霞主编 . — 北京：北京教育出版社，2014.1
（学习改变未来）

ISBN 978-7-5522-2964-6

Ⅰ. ①伊… Ⅱ. ①魏… Ⅲ. ①寓言 - 作品集 - 古希腊Ⅳ. ① I545.74

中国版本图书馆 CIP 数据核字（2013）第 261871 号

学习改变未来

主 编 / 魏红霞

*

北京出版集团公司
北京教育出版社 出版
（北京北三环中路 6 号）
邮政编码：100120

网址：www. bph. com. cn
北京出版集团公司总发行
全国各地书店经销
北京盛源印刷有限公司印刷

*

720mm × 960mm 16 开本 21 印张 600 千字
2014 年 1 月第 1 版 2014 年 6 月第 3 次印刷

ISBN 978-7-5522-2964-6
定价：19.80 元

目录 Contents

lǎo tài pó hé jiǔ píng
老太婆和酒瓶

zhǔ rén zài jiā li dài kè hē guāng le yì píng jiǔ gū dōng
主人在家里待客（招待客人），喝光了一瓶酒。“咕咚”

yì shēng jiǔ píng zi bèi rēng dào le chuāng wài
一声，酒瓶子被扔到了窗外。

yí ge lǎo tài pó lù guò bǎ tā jiǎn le qǐ lái
一个老太婆路过，把它捡了起来。

tā dǎ kāi sāi zi kàn le kàn píng zi lǐ miàn yǐ jīng méi yǒu jiǔ le kě dāng tā bǎ píng kǒu duì zhe bí zi de shí hou què wén dào le yòu xiāng yòu chún de qì wèi
她打开塞子看了看，瓶子里面已经没有酒了，可当她把瓶口对着鼻子的时候，却闻到了又香又醇的气味。

lǎo tài pó xiǎng zhè píng zi zhuāng guo de jiǔ kěn dìng shì zuì shàng děng de suǒ yǐ jiǔ méi le hái huì zhè me xiāng jiù hǎo xiàng nián qīng shí fā shēng de shì qing zhǐ yǒu zuì měi hǎo zuì bǎo guì de wǒ cái huì yì zhí jì de hěn qīng chu
老太婆想：这瓶子装过的酒肯定是最上等的，所以酒没了还会这么香。就好像年轻时发生的事情，只有最美好最宝贵的，我才会一直记得很清楚。

鼹鼠和他的母亲

据说，鼹鼠天生就是瞎子，他们什么都看不见。可是有一天，小鼹鼠**神气**（骄傲或得意，也指得意或骄傲的样子）地对他妈妈说：“我是天才，我能看见东西！”

他妈妈听了非常吃惊，于是在他面前放了几块香喷喷的奶酪，问他：“这是什么呢？”“几粒小石子呀。”小鼹鼠很有把握地回答。

他妈妈伤心地叹了口气：“我可怜的孩子呀，我想你不光眼睛看不见东西，就连鼻子也闻不到气味了。”

我的读后感
正视缺陷的存在，这缺陷就不再是缺陷，还能成为奋斗进取的动力；若是否认缺陷，只会使自己变得悲哀，还会惹来他人的讥笑。

guī tù sài pǎo
龟兔赛跑

chūn tiān dào le　zài dòng xué zhōng mēn le yì dōng tiān de dòng wù　yí gè gè quán chū
春天到了，在洞穴中闷了一冬天的动物，一个个全出
lai le　tā men chàng a　tiào wa　zhuō mí cáng a　wán de zhēn kāi xīn　kě shí jiān
来了。他们唱啊，跳哇，捉迷藏啊，玩得真开心！可时间
yì cháng　dà jiā dōu wán nì le　děi
一长，大家都玩腻了，得
xiǎng diǎnr　xīn huā yàng wán wan　nà cái
想点儿新花样玩玩，那才
xīn xian ne　cōng míng de xiǎo hóu zi zài dà shù xia
新鲜呢！聪明的小猴子在大树下
tiē le yì zhāng dà hǎi bào　guī tù sài pǎo　dà
贴了一张大海报：龟兔赛跑！大
jiā kàn le　xiào zhe rǎng qi lai　hǎo　guī tù sài
家看了，笑着嚷起来：“好！龟兔赛
pǎo　wǒ men yào kàn　yí dìng hǎo kàn　nà jiù
跑，我们要看！”“一定好看！”那就
zhǔn bèi ba
准备吧！

xiǎo lù jīng xīn
小鹿精心
biān zhī le yí ge
编织了一个
huā huán　tā bǎ
花环，他把
huā huán fàng zài xiǎo
花环放在小

山顶的松树下，喊道：“这儿是终点，谁先拿到花环，谁就是冠军！”谁当裁判员呢？当然是公正的山羊大叔了！山羊大叔举起发令枪，大声说：“请龟大哥、兔小弟就位！”

在一片笑声中，龟大哥和兔小弟被**簇拥**（很多人紧紧围绕着）到起跑线上。一声枪响，兔小弟像出弦的箭那样飞跑出去。一眨眼的工夫，他已冲到**半山腰**（山的中段，中间）了！

“龟大哥跑到哪儿了呢？”兔小弟得意地回头看看，嘿，这可怜的乌龟才离开起跑线，正一步一步慢慢爬着呢！兔小弟停下了脚步，摇摇头说：“太慢了！我在这儿歇一歇，睡个觉再跑吧！”兔小弟在半山腰放心睡起觉来了。龟大哥呢？

tā dòng zuò suī rán màn què yì diǎnr méi yǒu tíng a yí bù yí bù xiàng qián pá
他动作虽然慢，却一点儿没有停啊！一步一步向前爬！

zǒu wa zǒu wa tā pá shang bàn shān yāo le
走哇走哇，他爬上半山腰了！

zǒu wa zǒu wa tā bǎ shuì dà jiào de tù xiǎo dì shuǎi dào hòu miàn le
走哇走哇，他把睡大觉的兔小弟甩到后面了！

zǒu wa zǒu wa tā kuài jiē jìn shān dǐng le
走哇走哇，他快接近山顶了！

dà jiā rěn bu zhù wèi guī dà gē dāng qi lā lā duì guī dà gē kuài jiā yóu tù xiǎo dì bèi jīng xǐng le tā zhēng yǎn yí kàn guī dà gē kuài ná dào huā huán la tā pīn mìng xiàng shān dǐng pǎo qu kě shì yǐ jīng chí le zài dà jiā de huān hū shēng zhōng guī dà gē bǎ huā huán tào zài le bó zi shang
大家忍不住为龟大哥当起啦啦队：“龟大哥，快加油！”兔小弟被惊醒了，他睁眼一看，龟大哥快拿到花环啦！他拼命向山顶跑去，可是已经迟了，在大家的欢呼声中，龟大哥把花环套在了脖子上！

guī dà gē dé le guàn jūn zhè jié guǒ kě shì shuí dōu méi yǒu liào xiǎng dào de
龟大哥得了冠军，这结果可是谁都没有料想到的！

shī zi yáng láng hé hú li
狮子、羊、狼和狐狸

zài yí piàn mào mì de sēn lín li zhù zhe shī zi dà wáng hé tā de sān ge gù wèn yì zhī yáng yì zhī láng hé yì zhī hú li
在一片茂密的森林里，住着狮子大王和他的三个顾问——一只羊、一只狼和一只狐狸。

yì tiān shī zi dà wáng bǎ yáng jiào lai wèn dào nǐ wén yi wén wǒ yǒu kǒu chòu ma yáng wén le wén chéng kěn de shuō dào wén dào le dà wáng shì yǒu chòu wèi shī zi shēng qì jí le yì kǒu yǎo diào le zhè ge shǎ guā de tóu
一天，狮子大王把羊叫来，问道：“你闻一闻，我有口臭吗？”羊闻了闻，**诚恳**（真诚，恳切）地说道：“闻到了，大王，是有臭味。”狮子生气极了，一口咬掉了这个傻瓜的头。

jiē zhe shī zi dà wáng yòu bǎ láng jiào dào gēn qián bú nài fán de wèn dào nǐ
接着，狮子大王又把狼叫到跟前，不耐烦地问道：“你

néng wén dào wǒ de kǒu chòu ma láng xī qǔ le yáng de jiào xun jiǎ zhuāng wén le wén
能闻到我的口臭吗？”狼吸取了羊的教训，假装闻了闻，
rán hòu gōng wei de huí dá qīn ài de dà wáng méi yǒu shén me chòu
然后**恭维**（称颂，奉承）地回答：“亲爱的大王，没有什么臭
wèi ma wǒ shén me yě wén bu dào wa shī zi yì tīng gèng shēng qì le jiù bǎ
味嘛！我什么也闻不到哇！”狮子一听，更生气了，就把
zhè ge zhǐ huì shuō jiǎ huà zhǐ huì tǎo hǎo bié rén de jiā huo yǎo de xiān xuè lín lí
这个只会说假话、只会讨好别人的家伙，咬得鲜血淋漓。

zuì hòu hú li bèi jiào lai le shī zi dà wáng yě wèn le tā tóng yàng de wèn tí
最后，狐狸被叫来了。狮子大王也问了他同样的问题。
hú li xiān shì kàn le kàn diào le nǎo dai de yáng yòu qiáo le qiáo xiān xuè zhí liú de láng líng
狐狸先是看了看掉了脑袋的羊，又瞧了瞧鲜血直流的狼，灵
jī yí dòng shuō dà wáng wǒ huàn le gǎn mào shén me wèi dào yě wén bu dào
机一动，说：“大王，我患了感冒，什么味道也闻不到。”
shī zi yì tīng jiù fàng guo le hú li
狮子一听，就放过了狐狸。

hú li yī kào zì jǐ de zhì huì jiě jiù le zì jǐ
狐狸依靠自己的智慧，解救了自己。

想一想

狐狸是怎么应对老虎的问题的？他成功脱险给你带来什么启发？

男孩和榛果

一天，小男孩得到了满满一瓶**榛果**（榛树的果实），可把他乐坏了。

小男孩把手伸进瓶子里，使劲抓了一大把。可因为抓得太多，他的手被瓶口挡住了，怎么也拿不出来。小男孩急得大哭起来。他不想放掉手中的榛果呀！

“孩子，只要你放掉手中一半的榛果，手不就可以拿出来了吗？”男孩的爸爸走了过来，拍拍他的肩膀，轻轻地说，“不要一下子想得到太多呀！”

我的读后感
贪心有时会带来麻烦和危险，而及时放手能有效解决问题。

狐狸和仙鹤

狐狸和仙鹤是一对好朋友。

有一天，狐狸请仙鹤吃饭。狐狸喜欢炫耀自己，他在集市上买菜时，边买边告诉别人自己请客的事。森林中的小动物听后，都夸狐狸是个大方的人。

菜买回来了，狐狸在厨房里不停地忙活着，嘴里还不住地说：“真香啊！真香啊！”

仙鹤来了，闻着从厨房里传来的香味，心里很高兴，他想：狐狸这个好朋友，没有白交。可是等了老半天，狐狸才从厨房里端出一个很平很平的盘子，盘子里只盛了一点儿肉汤。他装出很热情的样子，大声招呼仙鹤说：“仙鹤大哥，快请吃，不要客气。”

看着平平的盘子，仙鹤**傻眼**（因事出意外而目瞪口呆）了，他无论怎么尽力，都喝不到盘子里闻起来香喷喷的汤。可是狐狸呢？他却在那里大吃大喝，嘴里还不住地问仙鹤：“我烧

de tāng wèi dào xiān měi ma
的汤味道鲜美吗？”

xiān hè kě shēng qì le tā duì hú li shuō míng tiān wǒ yě qǐng nǐ chī fàn gǎn
仙鹤可生气了，他对狐狸说：“明天我也请你吃饭，感
xiè nǐ jīn tiān duì wǒ de rè qíng zhāo dài hú li yì tīng xīn li kě gāo xìng le lián
谢你今天对我的热情招待。”狐狸一听，心里可高兴了，连
máng shuō hǎo hǎo míng tiān wǒ yí dìng qù
忙说：“好，好，明天我一定去。”

zì cóng shòu dào xiān hè de yāo qǐng hòu hú li jiù jué dìng yì zhí è zhe dù zi
自从受到仙鹤的邀请后，狐狸就决定一直饿着肚子，
tā xiǎng wǒ rú guǒ è zhe dù zi dào shí hou jiù néng dào xiān hè jiā hǎo hǎor de dà
他想：我如果饿着肚子，到时候就能到仙鹤家好好儿地大
chī yí dùn le
吃一顿了。

yí dà zǎo hú li jiù lái dào le xiān hè jiā wén zhe cóng chú fáng
一大早，狐狸就来到了仙鹤家，闻着从厨房
li chuán chu lai de xiāng wèi hú li de kǒu shuǐ dōu liú chu lai le bù
里传出来的香味，狐狸的口水都流出来了。不
yí huìr xiān hè biàn duān chu lai yí ge cháng jǐng píng zi
一会儿，仙鹤便端出来一个长颈瓶子，
nà píng zi hěn gāo píng kǒu hěn xiǎo xiān hè hěn
那瓶子很高，瓶口很小。仙鹤很
róng yì jiù bǎ zuǐ shēn jin le píng zi li měi
容易就把嘴伸进了瓶子里，美
měi de chī zhe píng zi li de fàn
美地吃着瓶子里的饭
cài tā yì biān chī yì
菜。他一边吃一

边客气地说：“快吃吧，我做的午餐味道很好的，放开肚子吃吧！”

狐狸一口都尝不到，他饿得头发晕，两眼冒金星。可怜的狐狸，他得到了应有的回报。

想一想

狐狸之前是怎么对待仙鹤的？你觉得应该怎样对待朋友？

____

guǎ fu hé yáng
寡妇和羊

guǎ fu hěn qióng　zhǐ yǒu yì zhī yáng hé tā xiāng yī wéi mìng
寡妇很穷，只有一只羊和她**相依为命**（互相依靠着度
tā hěn ài hù zhè zhī yáng　zǒng shì xiǎng bàn fǎ cǎi dào zuì nèn de yě cǎo wèi tā
日）。她很爱护这只羊，总是想办法采到最嫩的野草喂他
chī　màn màn de　yáng máo zhǎng dào kě yǐ mài de cháng dù le　guǎ fu wèi le jié yuē
吃。慢慢地，羊毛长到可以卖的长度了。寡妇为了节约
qián　méi yǒu qù qǐng jiǎn máo gōng　ér shì zì jǐ dòng shǒu
钱，没有去请剪毛工，而是自己动手。

tā hěn xì xīn　què yīn wei méi yǒu jīng yàn　bǎ yáng de ròu dōu jiǎn dào le　yáng tòng
她很细心，却因为没有经验，把羊的肉都剪到了。羊痛
de quán shēn fā dǒu　jié guǒ ne　guǎ fu bú dàn méi mài chu qu yáng máo　hái yào qǐng yī
得全身发抖。结果呢？寡妇不但没卖出去羊毛，还要请医
shēng gěi yáng zhì shāng
生给羊治伤。

yuán lái　bú qià dàng de jié yuē fǎn ér huì làng fèi gèng duō
原来，不恰当的节约反而会浪费更多。

我的读后感
贫穷不应该成为节约的全部理由；一个人即使过着贫穷的生活，也应该学会合理、科学地理财。

狐狸和老狼

hú li hé lǎo láng

狐狸和老狼是一对死对头，他们之间有着很深的冤仇，总想找个机会置对方于死地。

hú li hé lǎo láng shì yí duì sǐ duì tou tā men zhī jiān yǒu zhe hěn shēn de yuānchóu zǒngxiǎngzhǎo ge jī hui zhì duì fāng yú sǐ dì

有一天，森林之王——狮子生病了。动物王国中，豹子、黑熊、大象、老狼，还有许多小动物都带着礼物，来看望狮子大王。

yǒu yì tiān sēn lín zhī wáng shī zi sheng bìng le dòng wù wáng guó zhōng bào zi hēi xióng dà xiàng lǎo láng hái yǒu xǔ duō xiǎo dòng wù dōu dài zhe lǐ wù lái kàn wàng shī zi dà wáng

这时，聪明的老狼发现狐狸没有来，他想：机会来了，这回我一定要狐狸好看。他走到狮子身边，不怀好意地说：“狮子大王，您生病了，动物们都来探望您，您的威望可真高哇！不过，我觉得狐狸没有把您放在眼里，您看，他到现在都没来。”

狮子大王听了，不以为然地说：“可能狐狸有事耽搁了吧！”

老狼一听，连忙大声说：“没有！没有！我来的时候还看见他在山坡上玩呢！”

狮子大王一听，可生气了，他大声吼道：“这个小小的狐狸，竟然敢这样对我，我非把他撕成两半不可！”

这时候，狐狸正好带着礼物来了，他一边走还一边哼着歌。狮子大王一看，冲着狐狸吼道：“你这个刁钻的狐狸，竟敢对本大王不敬，我生病了你还这么高兴，我今天一定要狠狠地教训你一顿。”说完，就向狐狸扑去。

狐狸吓得连忙跪下来说：“狮子大王，您误会了。我高兴是因为我打听到了给您治病的好药方啊！刚才我在附近的山坡上找到了一位神医，他开了一个方子。他说这方子可灵了，保证让您药到病除。”

狮子大王一听，很高兴，说：“那好，快给我看看是什么药方。”

“那位神医说，要治好您的病不难，只要把狼活剥了，趁热将狼皮披在身上，病就好了。”狐狸不慌不忙地说。

老狼听了狐狸的话，吓得腿都软了，说道：“大王，您千万别听狐狸胡说八道哇！”“为了狮子大王，贡献出您的皮又算得了什么！”狐狸在一边煽风点火。狮子大王信以为真，马上命令动物们开始扒老狼的皮。可怜的老狼，不一会儿皮就被扒了，披在了狮子大王的身上。

想一想

老狼是怎么说狐狸的坏话的？老狼最后的结局给你带来怎样的启示？

狐狸和刺猬

一只狐狸在游过一条水流湍急的河时受了伤，一动也不能动。一群饥饿的吸血蝇落在他身上，贪婪（对物品或金钱等充满非同寻常的强烈欲望）地吸着他的血。恰好一只刺猬路过这里，看到狐狸很可怜，便问他要不要替他赶走那些困扰他的吸血蝇。

狐狸听了，回答说：“不要，千万不要赶走他们。”刺猬觉得很奇怪，问：“为什么？难道你想让他们继续吸你的血吗？”狐狸回答说：“不是。只是你所看到的这些吸血蝇，肚子里已经吸

bǎo le wǒ de xiě bú zài shǐ jìn dīng wǒ le rú guǒ nǐ tì wǒ gǎn zǒu zhè xiē chī bǎo le
饱了我的血，不再使劲叮我了。如果你替我赶走这些吃饱了

de xī xuè yíng lìng wài yì qún gèng jī è de xī xuè yíng lì kè huì lái bǔ quē nà shí
的吸血蝇，另外一群更饥饿的吸血蝇立刻会来补缺。那时，

wǒ shēnshangshèng xia de yì diǎnr xiě huì bèi tā menquán xī guāng de
我身上剩下的一点儿血，会被他们全吸光的。”

即使身处困境，也要在做一件事情之前，考虑清楚后果；如果盲目地采取行动，可能会使结果更糟糕。

chán yǔ hú li

蝉与狐狸

xià tiān dào le dà dì xiàng zháo le huǒ yí yàng sēn lín li lián yì sī fēng yě méi
夏天到了，大地像着了火一样。森林里连一丝风也没
yǒu shù mù yí dòng bú dòng de zhàn lì zhe dà duō shù xiǎo dòng wù dōu duǒ zài dòng li chéng
有，树木一动不动地站立着，大多数小动物都躲在洞里乘
liáng shēng pà bèi huǒ là là de tài yáng shài de tòu bu guò qì lai
凉，生怕被火辣辣的太阳晒得透不过气来。

yì zhī gū dān de chán shí fēn kǔ nǎo tā jué de zhè yàng de rì zi méi yì si
一只孤单的蝉，十分苦恼。他觉得这样的日子没意思，
jiǎn zhí ràng rén biē de chuǎn bu guò qì lai suǒ yǐ jiù chàng qi le gēr gěi zì jǐ jiě mèn
简直让人憋得喘不过气来，所以就唱起了歌儿给自己解闷。

yì zhī hú li zǒu guo lai kàn zhe shù shang de chán kǒu shuǐ dōu yào liú xia lai le
一只狐狸走过来，看着树上的蝉，口水都要流下来了。
tā xiǎng zhè zhī féi dà de chán zhī duō ròu hòu wèi dào yí dìng hěn xiān měi dàn shì
他想：这只肥大的蝉，汁多肉厚，味道一定很鲜美。但是，
wǒ yào zěn me cái néng chī dào tā ne
我要怎么才能吃到他呢？

jiǎo huá de hú li yǎn zhū zi gū lū lū yí zhuàn xiǎng chu le yí ge hǎo jì cè
狡猾的狐狸眼珠子骨碌碌一转，想出了一个好计策。

hú li xiào xī xī de shuō qīn ài de chán dì di nǐ de gē shēng zhēn hǎo tīng
狐狸笑嘻嘻地说：“亲爱的蝉弟弟，你的歌声真好听，
jiù lián gē chàng jiā bǎi líng niǎo yě bǐ bu guò nǐ ya shuō zhe tā hái zhuāng chu le yí
就连歌唱家百灵鸟也比不过你呀！”说着，他还装出了一
fù rú chī rú zuì de biǎo qíng
副**如痴如醉**（形容人精神状态失常，神态恍惚）的表情。

chán bú dòng shēng sè de kàn le hú li yì yǎn yī jiù chàng zhe zì jǐ de gēr
蝉不动声色地看了狐狸一眼，依旧唱着自己的歌儿。

hú li jiàn chán bìng bú shàng dàng zhǐ hǎo yìng zhe tóu pí jì xù kěn qiú kě ài
狐狸见蝉并不上当，只好硬着头皮继续恳求：“可爱

的蝉弟弟，你长得太可爱了，你的歌声太醉人了。真想站在你的面前，看看你是怎样唱出这么动听的歌的。你能下来吗？”

聪明的蝉识破了狐狸的诡计，便轻轻摘下一片树叶抛了下来。狐狸以为是蝉中计了，高兴极了，立刻猛扑过去，抓住了树叶。

“喂，坏家伙，你以为我会飞下去送死吗？你真是大错特错了！”蝉笑着说，“我时刻**警惕**（对可能发生的危险等保持警觉）着，不会上当的！”

狐狸听了，灰溜溜地走了。

想一想

狐狸几次恭维蝉的歌声？他分别使用了什么词语来形容歌声？

狮子和青蛙

一天傍晚，狮子走出森林散步，来到一条小河边喝水。

“呱……呱……”狮子听见一个很尖很大的声音从水里传来，心里一惊，心想：这是什么动物，叫声这么大，这么吓人！他不敢往前走了。

“呱……呱……”水中继续传来高一声低一声的叫声，听了一会儿，他的胆子慢慢地大了起来，便一步一步往前走。

这时，一只青蛙从河中爬出来，瞪着大眼睛望着狮子。

“你是谁？”青蛙问狮子。

“我是狮子，是森林中的百兽

之王。你呢？你叫什么名字？”狮子问。

“我叫青蛙，是水中著名（有名，出名）的歌唱家！”

“哦，我明白了。刚才那吓人的叫声是你的声音吗？”狮子问。

“是呀！呱呱！呱呱！”青蛙边回答，边叫了起来。

狮子生气地说：“在见到你之前，你的叫声还真把我吓了一跳，现在看来……”狮子走了上去，把青蛙踩扁了。

我的读后感
要学会权衡利弊，切莫低估你的对手，更不要在强大的对手面前过分炫耀自己的本领。

pī zhe shī zi pí de lǘ

披着狮子皮的驴

zài yí piàn mào mì de cóng lín li yǒu yì zhī tiáo pí de xiǎo lǘ tā xiǎo nǎo jīn dòng de kě kuài le zhōu wéi de xiǎo huǒ bàn zǒng shì bèi tā zhuōnòng

在一片茂密的丛林里，有一只调皮的小驴。他小脑筋动得可快了，周围的小伙伴总是被他捉弄。

yǒu yì tiān xiǎo lǘ zhǎo dào le yì zhāng shī zi pí rán hòu tā jiù pī shang shī zi pí zài cóng lín li luàn guàng yí lù shang bǎ dòng wù men xià de kě lì hai le zhèng dāng tā dé yì de shí hou lái le zhī hú li xiǎo lǘ xiǎng ràng zì jǐ gèng xiàng shī zi biàn cū shēng cū qì de hǒu qi lai jié guǒ hú li yì diǎnr yě bú hài pà hái hā hā dà xiào dào kuài chū lai ba xiǎo lǘ nǐ yì chū shēng wǒ jiù zhī dào shì nǐ le

有一天，小驴找到了一张狮子皮。然后他就披上狮子皮在丛林里乱逛，一路上把动物们吓得可厉害了。正当他得意的时候，来了只狐狸。小驴想让自己更像狮子，便粗声粗气地吼起来。结果，狐狸一点儿也不害怕，还哈哈大笑道：“快出来吧，小驴，你一出声我就知道是你了。”

想一想

小驴披着狮子皮在丛林里干吗？他为什么没有吓到狐狸呢？

____

shī zi hé nóng fū

狮子和农夫

zài yí piàn mào mì de sēn lín li zhù zhe yì tóu lì dà wú bǐ de shī zi tā shí
在一片茂密的森林里，住着一头力大无比的狮子。他十
fēn xiōngměng dòng wù men dōu tuī xuǎn tā wéi shòuzhōng zhī wáng
分凶猛，动物们都推选他为兽中之王。

yǒu yì tiān tā lái dào fù jìn de yí ge cūn zhuāng li yí wèi měi lì de gū niang
有一天，他来到附近的一个村庄里。一位美丽的姑娘
zhèng zài hú biān dǎ shuǐ tā nà míngliàng de yǎn jing shuǐ líng líng de yì tóu xiù fà pī
正在湖边打水，她那明亮的眼睛，水灵灵的，一头秀发披
zài jiān shang shí fēn mí rén shī zi dà wáng lì kè bèi tā de měi lì mí zhù le yú
在肩上，十分迷人。狮子大王立刻被她的美丽迷住了。于
shì tā gēn suí zhe gū niang lái dào tā jiā li zhēnchéng de xiàng tā qiú hūn gū niang de
是，他跟随着姑娘来到她家里，真诚地向她求婚。姑娘的
fù qin shì ge nóng fū tā jiàn shī zi zǒu jin le zì jǐ de jiā mén biàn wèn qǐng
父亲是个农夫，他见狮子走进了自己的家门，便问：“请
wèn nǐ lái wǒ jiā yǒu shén me shì ma shī zi wēi xiào zhe shuō wǒ yào qǔ nǐ de nǚ
问你来我家有什么事吗？”狮子微笑着说：“我要娶你的女
ér qǐng nǐ dā ying wǒ de yāo qiú
儿，请你答应我的要求！”

nóng fū xīn li kāi shǐ fàn chóu le rú guǒ bǎ nǚ ér jià gěi zhè tóu xiōng měng de yě
农夫心里开始犯愁了。如果把女儿嫁给这头凶猛的野
shòu zì jǐ zěn me fàng de xià xīn ne kě shì rú guǒ bù dā ying huì bu huì yīn cǐ rě
兽，自己怎么放得下心呢？可是如果不答应，会不会因此惹
nù le tā quán jiā bù dé ān níng ne cōngmíng de nóng fū líng jī yí dòng
怒了他，全家不得安宁呢？聪明的农夫**灵机一动**（突然想出
shuō wǒ dāng rán yuàn yì le dà wáng wǒ de nǚ ér jià gěi nǐ
个好办法），说：“我当然愿意了，大王。我的女儿嫁给你，
jiù shì wáng hòu zhè shì duō shao rén xiàn mù
就是王后，这是多少人**羡慕**（看见别人有某种长处、好处或有利条

件而希望自己也有）的地位呀！但是，大王，因为你的牙齿太尖了，我的女儿会害怕的；你的爪子又太锋利了，我的女儿也不喜欢。所以，如果你能把牙齿拔掉，把爪子剁掉的话，我就能把女儿嫁给你了。”

狮子立刻回答说：“这好办哪！”说完就捡起一把斧头，“砰！砰！砰！”牙齿全部掉了下来。

“实在是太好了，大王。”农夫说，“只不过还有爪子呢。”

“这也不难哪！”狮子大王使劲抡起斧头，“咔！咔！咔！”就把那锋利的爪子也剁掉了。

“哈哈，傻狮子！”农夫**得意扬扬**（形容十分得意的样子）地说，“现在，你没有了尖锐的牙齿，也没有了可怕的爪子，你还有什么厉害的呢？现在我可

bú pà nǐ le shuō wán nóng fū ná qi yì gēn mù gùn cháo zhe shī zi pī tóu dǎ
不怕你了！”说完，农夫拿起一根木棍，朝着狮子劈头打
guo lai
过来。

shī zi shēng qì jí le tā zhāng kai dà zuǐ huī wǔ zhe zhuǎ zi xiàng nóng fū pū
狮子生气极了，他张开大嘴，挥舞着爪子，向农夫扑
guo lai kě shì xiàn zài de shī zi dà wáng bù jǐn méi yǒu le fēng lì de yá chǐ yě
过来。可是，现在的狮子大王，不仅没有了锋利的牙齿，也
méi yǒu le ruì lì de zhuǎ zi nǎ li hái yǒu shén me wēi fēng
没有了锐利的爪子，哪里还有什么**威风**（使人敬畏的气势或气
a nóng fū lūn qi mù gùn cháo shī zi de pì gu jiù shì yí gùn shī zi téng de
派）啊？农夫抡起木棍，朝狮子的屁股就是一棍，狮子疼得
lián bèng dài tiào de jiā zhe wěi ba táo dào sēn lín li qù le
连蹦带跳地夹着尾巴逃到森林里去了。

qīng yì xiāng xìn bié rén de huà yǒu shí zhǐ huì shòu dào shāng hài
轻易相信别人的话，有时只会受到伤害。

狐狸和狗

天黑了，羊们都拖着疲惫的身体，回家睡觉了。一只狡猾的狐狸趁机混进了羊群中，也进了羊圈。

羊们有的悠闲自得地走来走去，有的静静地欣赏着迷人的夜景，有的则慢慢躺下来，享受夜晚的宁静。狐狸看见一只又肥又嫩的小羊羔，心想：可爱的小肥羊，乖乖做我的晚餐吧！于是，他猛地扑上去，按住了小羊羔。

“救命啊……救命啊……”小羊羔害怕极了，他不停地呼救。叫声被牧羊狗听到了，他赶紧跳进羊圈里救小羊羔。狐狸见牧羊狗来了，连忙抱起小羊羔，假情假意地抚摩着小羊羔的脑袋。牧羊狗见了，问：“狐狸，你这是干什么呢？”“狗大哥，你瞧，这只小羊羔多可爱，多漂亮啊！我真喜欢他，所以抱着他，在逗他玩哩！”狐狸笑着说。“放下他！马上放下他！”牧羊狗的口气很坚决。

狐狸仍嬉皮笑脸地说：“为什么这样严肃（令人敬畏的）？我逗他玩玩不行吗？”

“我要你马上放下他！如果你不立刻放下他，我就要抱起你逗着玩玩了！”

狐狸知道自己的阴谋败露了，只好放下了小羊羔，灰溜溜地走了。

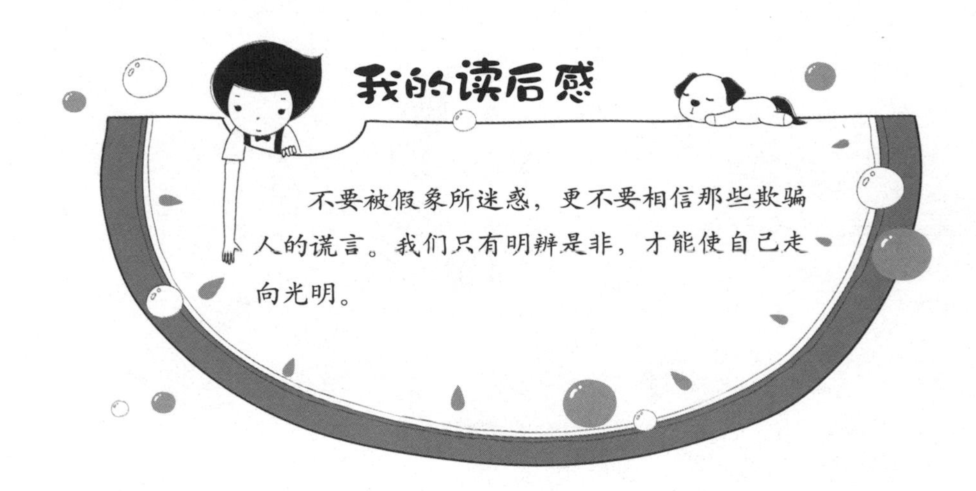

我的读后感
不要被假象所迷惑，更不要相信那些欺骗人的谎言。我们只有明辨是非，才能使自己走向光明。

老鼠、青蛙和鹰

一次，青蛙和他的伙伴们在草坪上玩皮球。一不小心，皮球掉到了一个洞里。一只老鼠把皮球拿出来还给了青蛙，原来那是老鼠的家。于是，青蛙和老鼠成了好朋友。

有一天，调皮的青蛙为了好玩，把老鼠的脚和自己的脚绑在了一起。他先把老鼠带到草坪里找东西吃，然后又拖着老鼠到自己家附近的池塘边玩。青蛙想给老鼠一个惊喜，于是“砰”

de tiào dào shuǐ li yīn wei tā hěn xǐ huan yóu yǒng suǒ yǐ jiù yǐ wéi lǎo shǔ yě xǐ huan zài
地跳到水里，因为他很喜欢游泳，所以就以为老鼠也喜欢在

shuǐ li wán
水里玩。

qīng wā zài shuǐ li jìn qíng de yóu lái yóu qù yí huìr qián dào shuǐ li yí huìr yòu
青蛙在水里尽情地游来游去，一会儿潜到水里，一会儿又

bǎ zì jǐ de bái dù pí shài zài tài yáng dǐ xia bù duō jiǔ lǎo shǔ jiù bèi yān sǐ le
把自己的白肚皮晒在太阳底下。不多久，老鼠就被淹死了，

ér qīng wā wán quán méi yǒu fā xiàn bèi shuǐ pào zhàng de sǐ lǎo shǔ fú dào shuǐ miànshang hěn kuài
而青蛙完全没有发现。被水泡涨的死老鼠浮到水面上，很快

jiù bèi lǎo yīng fā xiàn le tā yí ge fǔ chōng zhuā qi le sǐ lǎo shǔ jié guǒ qīng wā yě
就被老鹰发现了。他一个俯冲，抓起了死老鼠。结果青蛙也

bèi yì qǐ dài dào le lǎo yīng de jiā li hé lǎo shǔ yí yàngchéng le lǎo yīng de pán zhōng cān
被一起带到了老鹰的家里，和老鼠一样成了老鹰的盘中餐。

想一想

青蛙为什么带着老鼠跳到水里？最后，他是怎么成为老鹰的盘中餐的？

两个背包

普罗米修斯奉宙斯之命创造了人以后，就在每个人的脖子上挂了两个背包。这可不是一般的背包，这两个背包一个里面装着别人的缺点，另一个里面则装着自己的不足。

人类不敢违抗造物主的意愿，可是这两个背包该怎么处置呢？后来，有人想出了一个好法子，可以巧妙地安排这两个背包。他把那个装着别人缺点的背包挂在自己的胸前，而把

nà ge zhuāng yǒu zì jǐ bù zú de bēi bāo guà zài shēn hòu
那个装有自己不足的背包挂在身后。

zhè yàng rén men cóng lǎo yuǎn de dì fang jiù néng kàn dào bié rén zhuāng zhe zì jǐ bù zú
这样，人们从老远的地方就能看到别人装着自己不足

de bēi bāo bìng qiě duì bié rén de quē diǎn yě néng liǎo rú zhǐ zhǎng
的背包，并且对别人的缺点也能**了如指掌**（形容对情况极为清

zhè yàng de ān pái zhēn shì tài hǎo le kě shì měi zhōng bù zú de shì suī rán nǐ
楚）。这样的安排真是太好了。可是美中不足的是，虽然你

hěn róng yì kàn dào bié rén de quē diǎn dàn bié rén tóng yàng yě bǎ nǐ de quē diǎn kàn de qīng qīng
很容易看到别人的缺点，但别人同样也把你的缺点看得清清

chǔ chǔ lìng wài zhè yàng de ān pái liú gěi zì jǐ de gèng dà de bēi jù shì nǐ huì hěn
楚楚。另外，这样的安排留给自己的更大的悲剧是，你会很

róng yì hū shì zì jǐ de duǎn chù
容易忽视自己的短处。

挤牛奶的姑娘

有一个挤牛奶的姑娘叫多丽，是个善良的女孩，一向勤勤恳恳地工作。一天，她挤了满满一桶鲜奶，把牛奶桶顶在头上，沿着去集镇的道路向前走着，她要到集镇上把牛奶卖掉。

“这桶牛奶，”多丽想，“我起码可以卖到300只鸡蛋的价钱。那样的话，就能孵出250只小鸡，这还是最**保守**（指思想跟不上形势的发展）的数字。在下一次赶集之前，这些小鸡一定长大了，那正是小鸡娃卖得出价钱的时候哩。那我就有不少的钱啰！那时我可

以买到漂亮的衣裙，还有帽子和丝带，那我就可以去参加舞会了。

“那时，罗宾会主动提出跟我重新做朋友，但我可不能轻易地迁就（降低要求，曲意将就）他呀！当他要我做他的舞伴的时候，我一定要摇头……”

想入非非的多丽情不自禁地把头摇动了一下，桶掉了下来，牛奶全都洒在地上了。

可怜的多丽呀！鸡蛋、小鸡、衣裙、帽子、丝带和其他的一切，全都跟她告别了。

gōng niú hé qīng wā
公牛和青蛙

chí táng biān de dà shù shang zhī liǎo yì shēng shēng de jiào zhe
池塘边的大树上，知了一声声地叫着。

liǎng zhī xiǎo qīng wā zài kuān dà hòu shi de hé yè shang dàng lái dàng qù yí huìr gāo yí huìr dī hū ér dōng hū ér xī tā men wán de kě kāi xīn la guā guā de jiào ge bù tíng
两只小青蛙在宽大厚实的荷叶上荡来荡去，一会儿高，一会儿低，忽而东，忽而西。他们玩得可开心啦，呱呱地叫个不停。

tū rán hé yè de jīng duàn le yì zhī xiǎo qīng wā bèi dàng le chū qù diào zài páng dà de gōng niú jiǎo biān gōng niú zhèng yào hē shuǐ méi zhù yì jiù yì jiǎo tà le shàng qù bǎ xiǎo qīng wā cǎi jin làn ní
突然，荷叶的茎断了，一只小青蛙被荡了出去，掉在庞大的公牛脚边。公牛正要喝水，没注意就一脚踏了上去，把小青蛙踩进烂泥

dì li le lián ge pào pao dōu méi mào shang lai
地里了，连个泡泡都没冒上来。

lìng yì zhī xiǎo qīng wā xià huài le fēi kuài de táo hui le jiā wū wū de xiàng mā ma
另一只小青蛙吓坏了，飞快地逃回了家，呜呜地向妈妈
kū dào mā ma gē ge bèi yì zhī hěn dà de guài shòu cǎi sǐ le
哭道：“妈妈，哥哥被一只很大的怪兽踩死了。”

qīng wā mā ma bù zhī dào gōng niú dào dǐ yǒu duō dà jiù shēn shēn de xī le yì kǒu
青蛙妈妈不知道公牛到底有多大，就深深地吸了一口
qì bǎ dù zi gǔ de yuán yuán de wèn zhè me dà ma xiǎo qīng wā dá dào
气，把肚子鼓得圆圆的，问：“这么大吗？”小青蛙答道：
hái yào dà yì xiē qīng wā mā ma yòu xī le yì kǒu qì bǔ shēn zi gǔ de gèng dà
“还要大一些。”青蛙妈妈又吸了一口气，把身子鼓得更大
le xiǎo qīng wā kàn le hái shi yáo tóu
了，小青蛙看了还是摇头。

qīng wā mā ma bù tíng de xī qì bú duàn de bǎ dù pí zhàng dà tū rán
青蛙妈妈不停地吸气，不断地把肚皮胀大……突然，
pā de yì shēng tā bǎ dù pí gěi zhàng pò le
“啪”的一声，她把肚皮给胀破了！

hú li hé shé

狐狸和蛇

huā lā huā lā shān gǔ zhōng chuán lai hé shuǐ tuān jí liú dòng de shēng yīn

“哗啦哗啦……”山谷中传来河水湍急流动的声音。

yì tiáo shé xiǎng guò hé dào lìng yì biān qù kě shì zài tā yóu zhì zhōng tú de shí hou tuān

一条蛇想过河到另一边去。可是在他游至中途的时候，湍

jí de shuǐ liú bǎ tā chōng zǒu le shé zài shuǐ zhōng jiān nán de zhēng zhá

急的水流把他冲走了。蛇在水中艰难地**挣扎**（竭力支撑或摆

zhe hǎo bù róng yì pèng dào le shuǐ zhōng piāo zhe de yí duàn jīng jí zhè cái ān quán de

脱）着，好不容易碰到了水中漂着的一段荆棘，这才安全地

shùn shuǐ ér xià

顺水而下。

zhè shí yì zhī hú li kàn dào le pán zài jīng jí shang de shé tā jué de zài shuǐ

这时，一只狐狸看到了盘在荆棘上的蛇，他觉得在水

shang dǎ zhe zhuàn de shé shí zài tài hǎo xiào le yú shì yì biān xiào yì biān dà jiào qi lai

上打着转的蛇实在太好笑了，于是一边笑一边大叫起来：

tiān na zhè chéng kè hé tā suǒ chéng de chuán fēi cháng xiāng pèi ya

“天哪！这乘客和他所乘的船非常相配呀！”

想一想

蛇在湍急的水流中是如何求生的？见此情景，狐狸说了什么话？

____

狮子与大象

从前，有一头狮子一直很想打败大象，可是大象有长长的鼻子，狮子不是大象的对手。过了好久，狮子终于想出一条诡计来，他开始行动了。

有一次，狮子在路上遇见了大象，大象不愿意搭理狮子，狮子急了，连忙上前不紧不慢地对大象说：“大象哥哥，你停一停，我有很重要的事情想跟你说。”大象听了，心想：看狮子的样子很认真，大概他真的有重要的事要跟我说！于是，大象停了下来。

狮子一看大象停下来了，心里很高兴，继续假惺惺地说：“大象哥哥呀，你太英俊了，太潇洒了，简直太帅了！”大象听了这些夸奖的话，更高兴了。“可是，我觉得你的鼻子不够好看！”狮子假声假气地说。大象一听有些生气了，怒气冲冲地问：“我的鼻子哪里不好看了？”

狮子继续说道：“你看你那长鼻子，它在平日的活动中一定给你带来了麻烦。人家都说骗人就会长长长的鼻子，你肯定经常骗人，所以鼻子才会那么长。”大象听了很不开心，脸上露出了难过的表情，心想：狮子说的话挺有道理的。于是，一回家他就把平日里可以保护自己的鼻子给截短了。

狮子知道这个消息后，高兴极了。他心想：我终于可以打败大象了。狮子马上赶到大象家，大象看到狮子后，高兴地对狮子说：“狮子，我已经把我的鼻子给截短了，那我

现在就应该是英俊潇洒、**玉树临风**（形容人风度潇洒，秀美多姿）的大象了吧！”狮子冷笑道：“是的，是的，可是你的死期将要到了。”狮子张开大嘴就向大象扑去，可怜的大象已经失去了防身的武器，此时他虽然已经明白了真相，但已晚了。他想：我不该听信狮子的花言巧语，现在后悔已来不及了。

狮子把大象当成美餐吃掉了，吃饱后还说：“大象真愚笨，就被我这小小的诡计给骗了，哈哈哈哈！”

想一想

大象为什么把自己的鼻子截短了？你知道狮子夸赞大象的真正目的是什么吗？

狼与老太婆

偏僻（离城市或中心区远，交通不便）的山脚下，有一座孤零零的农舍，里边住着一个老太婆和她几岁的小孙子。

一只饥饿的狼正四处找食物吃。他慢慢悠悠地走到山脚下，循着小孩子的哭声，来到了这座农舍。

他悄悄地趴在窗下，想听听到底发生什么事了。

这时，只听老太婆吓唬自己的小孙子说："好孩子，别哭了，如果你再哭，奶奶就把你扔在门外，门外有一只狼正在等着你呢！"

听到这句话，狼高兴极了，心想：这老太婆可真聪明啊，我一来她就知道了，还准备送我一顿晚餐。狼美滋滋地在窗外想着，耐心地等待着老太婆把自己的小孙子送出来。

天越来越黑了，狼等得有些不耐烦了。可是，老太婆还是没有把小孙子送出来。

狼又把头靠近窗下，只听老太婆对自己的小孙子说："天黑了，好孩子，快睡觉吧！这回要是狼来了，奶奶就会把他杀死！"

狼一听，心里非常害怕，连忙逃跑了。他一边跑一边说："这老太婆怎么说的是一套，做的又是另一套呢！"

我的读后感
有些人为了达到自己的目的，经常言行不一致。切莫盲目相信对手的话，也不要盲目地站在自己的立场上考虑问题。

zhū hé yáng
猪和羊

zhū hé yáng bèi guān zài tóng yí ge juàn li tā men yì qǐ chī shí yì qǐ shuì jiào
猪和羊被关在同一个圈里，他们一起吃食，一起睡觉，
chéng le hǎo péng you
成了好朋友。

yì tiān zǎo shang zhū fā kuáng shì de wā wā dà jiào yáng bèi tā chǎo xǐng le zhēng yǎn
一天早上，猪发狂似的哇哇大叫，羊被他吵醒了，睁眼
yí kàn yuán lái mù rén zhèng zài yòng shéng suǒ tào zhū xiǎng yào bǎ tā kǔn chu qu
一看，原来，牧人正在用绳索套猪，想要把他捆出去。

yáng fēi cháng qí guài de wèn zhū lǎo dì nǐ wèi shén me yào dà jiào ne píng
羊非常奇怪地问：“猪老弟，你为什么要大叫呢？平
shí mù rén zhuā wǒ de shí hou wǒ bìng bú xiàng nǐ zhè yàng jiào wa zhū biān duǒ biān huí
时牧人抓我的时候，我并不像你这样叫哇！”猪边躲边回
dá mù rén zhuā nǐ shì wèi le jiǎn diào nǐ shēn shang róu ruǎn de máo qù mài ér tā
答：“牧人抓你，是为了剪掉你身上柔软的毛去卖。而他
zhuā wǒ què shì yào shā diào wǒ ya
抓我，却是要杀掉我呀！”

想一想

猪被牧人抓时为什么发疯似的哇哇大叫？羊每次被牧人抓时为什么不那样叫？

____

狮子、熊和狐狸

在一个晴朗的好日子里，狮子和熊一起到山林里去散步。

正当他们悠闲自得地走着时，忽然一只又肥又嫩的小羊羔映入他们的眼帘。狮子和熊馋得口水都要流出来了，他们两个**不约而同**（事先没有商量而彼此行动相同）地扑上去，抓到了那只小羊羔。

狮子和熊都想独吞小羊，谁也不想和对方一起享用美味的羊肉。为了争夺小羊羔，他们两个吵了起来——

“狮子老弟，是我先发现这只羊的，他应该属于我。”熊说。

“不对呀，熊大

哥，刚刚明明是我先扑上来抓住这只羊的。”狮子不服气地说。他们你一言，我一语，吵着吵着，就动手打了起来。

经过一场激烈的搏斗，熊和狮子都受了重伤。狮子浑身血淋淋的，原来他的肚子被咬破了。而熊的伤势也不轻，他的两条腿都被狮子咬伤了，连站都站不起来了。

熊和狮子有气无力地躺在地上，大口大口地喘着粗气。

远处，一只狐狸看到狮子和熊打得你死我活，两败俱伤，高兴极了。他哼着小曲，跑过来把那只小羊羔抢走了。

此时此刻，狮子和熊眼睁睁地看着小羊羔被抢走，却**无能为力**（没有能力或力量达不到），因为他们俩谁也没有力气去追狐狸，即使追上了，也没力气与狐狸搏斗了。

狮子和熊后悔极了，说：“我们真是大错特错呀！我们俩斗得你死我活，却让狐狸白白捡了个便宜呀。”

想一想

熊和狮子为什么打了起来？狐狸趁机做了什么事？熊和狮子应该怎么做才不会后悔？

狼和小羊

一个大晴天，狼来到小溪边，看见小羊正在那里喝水。

狼非常想吃小羊，瞪着小羊，找借口说：“你把我喝的水弄脏了，你安的什么心？”

小羊吃了一惊，温和地说：“我怎么会把您喝的水弄脏呢？您站在上游，水是从您那儿流到我这儿来的呀！”

狼气冲冲地说：“就算这样，你也是个坏家伙！我听说，去年你在背地里说我的坏话！”

kě lián de xiǎo yáng hǎn dào à qīn ài de láng xiān sheng nà shì bù kě néng de
可怜的小羊喊道：“啊，亲爱的狼先生，那是不可能的

shì qù nián wǒ hái méi yǒu shēng xia lai ne
事，去年我还没有生下来呢！”

láng de kǒu shuǐ dōu kuài liú chu lai le tā bù xiǎng zài zhēng biàn le zī zhe yá bī
狼的口水都快流出来了，他不想再争辩了，龇着牙，逼

jìn xiǎo yáng dà shēng rǎng dào nǐ zhè ge xiǎo huài dàn shuō wǒ huài huà de bú shì nǐ jiù
近小羊，大声嚷道：“你这个小坏蛋，说我坏话的不是你就

shì nǐ de bà ba fǎn zhèng dōu yí yàng shuō zhe jiù xiàng xiǎo yáng pū qu dà kǒu dà
是你的爸爸，反正都一样。”说着就向小羊扑去，大口大

kǒu de chī diào le xiǎo yáng
口地吃掉了小羊。

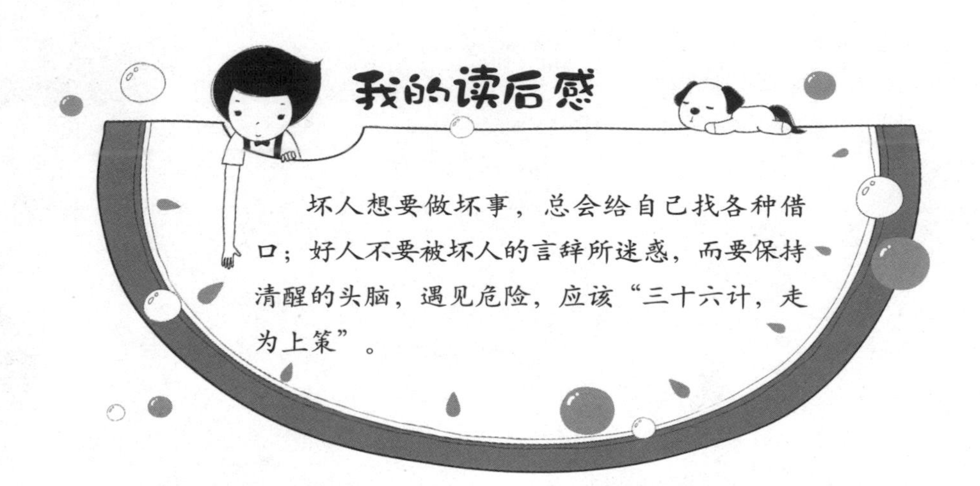

我的读后感
坏人想要做坏事，总会给自己找各种借口；好人不要被坏人的言辞所迷惑，而要保持清醒的头脑，遇见危险，应该“三十六计，走为上策”。

mǎ yǐ hé guō guo
蚂蚁和蝈蝈

dōng tiān dào le wài miàn bái xuě mángmáng shén me chī de yě zhǎo bu dào guō guo è
冬天到了，外面白雪茫茫，什么吃的也找不到。蝈蝈饿
jí le tā shén me chī de yě méi yǒu zhǔn bèi tā zhī dào mǎ yǐ xiàng lái hěn qín láo yú
极了，他什么吃的也没有准备。他知道蚂蚁向来很勤劳，于
shì xiǎng qù jiè diǎnr dōng xi guò dōng
是想去借点儿东西过冬。

mǎ yǐ wèn dào shén me nǐ lián yì diǎnr chī de dōu méi yǒu nà nǐ xià tiān
蚂蚁问道："什么，你连一点儿吃的都没有？那你夏天
hé qiū tiān de shí hou gàn shén me qù le
和秋天的时候干什么去了？"

guō guo jiāo ào de huí dá dào xià tiān hé qiū tiān nà me wēn nuǎn zhèng shì hé chàng
蝈蝈骄傲地回答道："夏天和秋天那么温暖，正适合唱
gē nǎ yǒu shí jiān chǔ cáng shí wù wa
歌，哪有时间储藏食物哇！"

nà nǐ jiù děng zhe ái è ba mǎ yǐ shuō wán jiù guānshang le dà mén
"那你就等着挨饿吧！"蚂蚁说完就关上了大门。

想一想

蝈蝈在夏天和秋天都在做什么？蚂蚁为什么没有借食物给他？

养蜂人遭蜜蜂攻击

夏季姗姗来迟（形容来得很晚），鲜花覆盖了整座大山。这是一座果山，果树绽放的花是一道亮丽的风景。

现在正是蜜蜂采蜜的最佳时节，养蜂人带着他的十几箱蜜蜂来到这里，支起了帐篷，准备在这里度过他一年中最繁忙的时光。

养蜂人望着漫山遍野的花朵，心里充满了喜悦，仿佛看到了一桶桶香甜的蜂蜜正排着队向他走来。

蜜蜂们每天都辛勤地劳动着，他们不知疲倦地来回奔波于蜂巢和花朵之间，把采集到的花蜜酿成了香气醇美的蜂蜜。

养蜂人每天除了看他的蜜蜂为他辛劳地奔波外，还常常流连于山水之间，沉浸在大自然的怀抱里，尽情地享受着阳光的温暖、河水的温柔。养蜂人内心很满足，这样的环境，这样的风景，怎能不让他陶醉呀！这是一个多么美好的夏天哪！

有一天，城里的几个无赖青年来山里打猎，窥探（暗中察看）到山谷里有十几个蜂箱，他们起了歪心，想把这十几箱蜂蜜偷走。他们中的一个说：“这蜜蜂有人看管，如果不小心，还会被蜜蜂蜇到，这样亏就吃大了。咱们再好好儿观察几天，看看动静再下手。”其他几个人都表示同意。

于是，这几个无赖就在附近隐藏起来，观察蜜蜂和养蜂人的一举一动。他们发现每天一大早，蜜蜂就飞出去采集花蜜，等早饭后才回来一次，然后，再飞出去，等到中午饭前再回来一次。而养蜂人吃过早饭，看着蜜蜂们飞走，他就会离开，到河边去欣赏风景。几个无赖经过密谋，决定采取行动。

这天，养蜂人和往

常一样，吃过早饭，看着蜜蜂们飞走，就到河边去了。那几个无赖趁着上午这个大好时机，把十几箱蜂蜜和蜂巢全都偷走了。

当养蜂人哼着小曲，心满意足地从河边回来时，发现蜂蜜和蜂巢全部不见了，他连忙在周围寻找，可是哪里找得到哇！养蜂人很伤心，他不知道该怎么办才好。

这时，蜜蜂们采集花蜜回来了，却发现自己辛辛苦苦酿的蜂蜜和自己温暖幸福的家——蜂巢都不见了，于是疯狂地向养蜂人扑去，拼命地攻击他。

养蜂人看着成群向他扑来的蜜蜂，苦笑着说：“你们这些愚蠢的小东西，不分青红皂白就攻击我，我可是你们的主人哪！你们应该去攻击偷蜂蜜的人才对呀！”

想一想

养蜂人每天最喜欢做的事是什么？无赖为什么能偷到蜂蜜？蜜蜂为什么要攻击养蜂人？

gōng jī hé bǎo shí
公鸡和宝石

gōng jī hé mǔ jī yì qǐ tǎng zài qiáng jiǎo shài tài yáng mǔ jī yōu xián de shū lǐ zhe tā
公鸡和母鸡一起躺在墙脚晒太阳。母鸡悠闲地梳理着她
nà piào liang de yǔ máo gōng jī lǎn yáng yáng de méi shén me shì zuò jiù lái dào pú tao jià
那漂亮的羽毛，公鸡懒洋洋的，没什么事做，就来到葡萄架
xia zhǎo chī de tā yòng zhuǎ zi páo kai dì shang de ní huī yuè páo yuè shēn hū rán zhuā
下找吃的。他用爪子刨开地上的泥灰，越刨越深，忽然抓
dào yí ge yuán yuán de yìng yìng de dōng xi gōng jī bǎ tā nòng dào dì miàn shang chuī kai
到一个圆圆的、硬硬的东西。公鸡把它弄到地面上，吹开
shàng miàn de ní huī yuán lái shì yì kē xiě yí yàng yān hóng de bǎo shí
上面的泥灰，原来是一颗血一样殷红的宝石。

gōng jī tàn xī dào yào shi néng zhǎo dào kē mài lì gāi duō hǎo wa kě xī zhǐ
公鸡叹息道：“要是能找到颗麦粒该多好哇！可惜，只
yǒu zhè me kē méi yòng de bǎo shí mǔ jī bú huì xǐ huan de yú shì tā bǎ hóng bǎo
有这么颗没用的宝石，母鸡不会喜欢的。”于是，他把红宝
shí rēng diào le
石扔掉了。

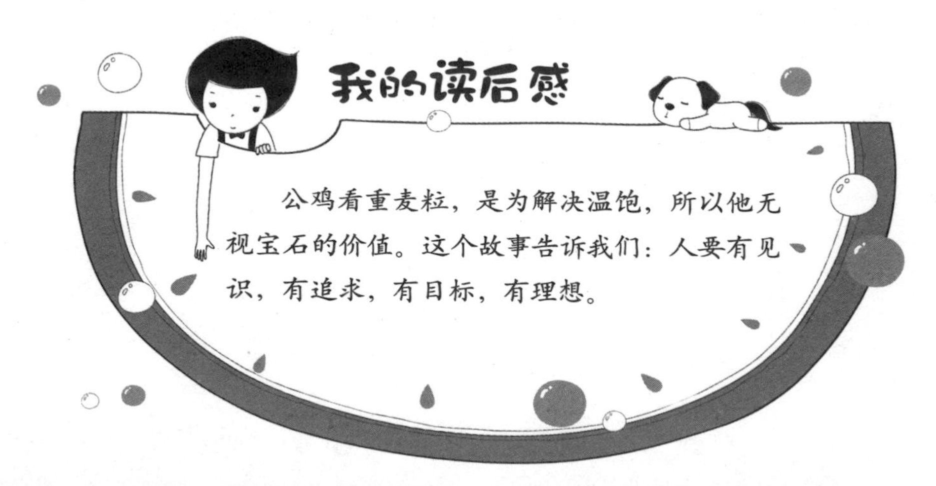

我的读后感
公鸡看重麦粒，是为解决温饱，所以他无视宝石的价值。这个故事告诉我们：人要有见识，有追求，有目标，有理想。

狼和羊

一只小羊正在山坡上高兴地吃草。这时，从树林里跑出了一条饿狼。饿狼看见小羊孤零零的，周围也没有猎狗，心里很高兴。他跑到小羊面前，张开血盆大口说：“小羊，我要吃了你！”

小羊看见饿狼恶狠狠的样子，很害怕，但是逃跑已经来不及了。聪明的小羊灵机一动，说：“亲爱的狼先生，我很愿意做你的午餐，因为羊本来就应当供你享用啊！何况我个子小，一点儿反抗能力也没有呢！”

饿狼见小羊这么乖巧，心里更高兴了，说：“乖孩子，你真可爱，要不是我两天没吃东西了，我实在不忍心把你吃掉！”

小羊说：“好心的狼先生，你是我见过的最善良的狼了。我想在临死之前提一个小小的要求，行吗？”“可以，你提吧！我一定答应你！”狼拍拍胸脯说。“我想去神庙，祈求神让我死后进天堂！”小羊说。“行，你去吧，祭过神后马上回来！”

于是，小羊飞快地逃进了神庙。狼在神庙外等了半天，也不见小羊出来，知道上了当，便对着神庙喊：“小羊，祭司要把你杀掉祭神的，快出来吧！”小羊回答：“我宁可为神**牺牲**（献出自己的生命），也不愿被你吃掉！”

想一想

小羊是怎么获得狼的信任的？小羊是怎么逃脱的？你感悟到了什么道理？

____

wáng zǐ hé huà chu lai de shī zi
王子和画出来的狮子

hěn jiǔ hěn jiǔ yǐ qián yǒu yí ge guó wáng tā zhǐ yǒu yí ge ér zi guó wáng shí
很久很久以前，有一个国王，他只有一个儿子。国王十
fēn téng ài zhè ge ér zi bǎ xiǎo wáng zǐ kàn chéng zuì zhēn guì de bǎo bèi nà zhēn shì hán
分疼爱这个儿子，把小王子看成最珍贵的宝贝，那真是含
zài zuǐ li pà huà le pěng zài shǒu li pà suì le
在嘴里怕化了，捧在手里怕碎了。

xiǎo wáng zǐ tè bié xǐ huan liàn wǔ tā měi tiān dōu qín fèn de kǔ liàn wǔ yì guó wáng
小王子特别喜欢练武。他每天都勤奋地苦练武艺。国王
kàn jiàn ér zi zhè yàng kè kǔ xīn li měi zī zī de
看见儿子这样刻苦，心里美滋滋的。

kě shì hǎo jǐng bù cháng yì tiān yè li guó wáng zuò le yí ge qí guài de mèng
可是，好景不长。一天夜里，国王做了一个奇怪的梦。
yí ge wū pó jǐng gào guó wáng shuō xiǎo wáng zǐ rú guǒ jì xù liàn wǔ de huà jiù huì
一个巫婆警告国王说："小王子如果继续练武的话，就会
rě lai shā shēn zhī huò yí dìng huì sǐ zài yì tóu xiōng è de shī zi shǒu shang
惹来杀身之祸，一定会死在一头凶恶的狮子手上。"

guó wáng cóng è mèng zhōng jīng xǐng tā hài pà jí le shēng pà zhè ge mèng biàn chéng zhēn
国王从噩梦中惊醒。他害怕极了，生怕这个梦变成真
de shēng pà shī qù zhè ge bǎo bèi ér zi wèi le bǎo hù ér zi tā lì kè xià lìng ràng
的，生怕失去这个宝贝儿子。为了保护儿子，他立刻下令让
gōng jiàng men lián yè jiàn zào yí zuò shū shì de wáng gōng bìng zài gōng diàn de qiáng shang huà le gè
工匠们连夜建造一座舒适的王宫，并在宫殿的墙上画了各
zhǒng gè yàng de dòng wù tā men huó líng huó xiàn xǔ xǔ rú shēng
种各样的动物，它们活灵活现，**栩栩如生**（形容生动，逼真，
qí zhōng hái huà le yì tóu shī zi
宛如活的一样），其中还画了一头狮子。

nián qīng de wáng zǐ zài yě méi yǒu jī hui liàn wǔ le tā měi tiān dōu bèi guān zài zhè lěng
年轻的王子再也没有机会练武了。他每天都被关在这冷

冰冰的宫殿里，像一个坐牢的囚犯似的，没有自由，更没有乐趣。王子生气极了。他一见到墙上那头可恶的狮子，忧伤的情绪就开始发作了。他指着这头可恶的狮子，狠狠地说：“你知道吗？你是动物中最叫人讨厌的！因为我父王睡觉时做了一个荒唐的梦，他怕我会死在你手上，所以把王宫变成了一个可怕的笼子，而我成了笼子里的小鸟，再也没有自由了！可恶的狮子，我恨你，我要杀了你！”说完，王子把手伸向荆棘树，想要折下一根树枝打死那头狮子。

就在王子伸出手的一刹那，一根尖锐的刺戳破了王子的手指，鲜血立刻流了出来。伤口痛了起来，手指也发炎了，王子昏倒过去。昏迷中的王子发起了高烧。没过几天，这个年轻的王子就去世了。

过分疼爱，有时反而会害了自己的孩子呀。

想一想

国王是怎么疼爱小王子的？他为什么把小王子关在宫殿里？小王子是怎么死的？

yuè liang hé tā de mǔ qin
月亮和他的母亲

yuè liang bǎo bao yào shàng yòu ér yuán le tā gāo xìng de hé bu lǒng zuǐ bǎo bao tū rán
月亮宝宝要上幼儿园了，他高兴得合不拢嘴。宝宝突然
xiǎng dào zì jǐ hái méi chuān yī shang yí xià zi jiù xiū hóng le liǎn kū zhe nào zhe yào mā
想到自己还没穿衣裳，一下子就羞红了脸，哭着闹着要妈
ma gěi tā zuò yí jiàn yī shang
妈给他做一件衣裳。

yuè liang mā ma zhòu qi le méi tóu wǒ zěn me cái néng gěi nǐ zuò yí jiàn hé shēn de yī
月亮妈妈皱起了眉头：“我怎么才能给你做一件合身的衣
shang ne nǐ yí huìr shì yuán yuè yí huìr shì bàn yuè shí pàng shí shòu wa gěi nǐ
裳呢？你一会儿是圆月，一会儿是半月，时胖时瘦哇！给你
zuò yī shang gāi yǒu duō má fan yuè liang bǎo bao nán guò de kū le
做衣裳该有多麻烦！”月亮宝宝难过得哭了。

shì ya shì wù zǒng shì zài bú duàn biàn huà zhe de zěn me kě néng yì láo yǒng yì
是呀，事物总是在不断变化着的，怎么可能**一劳永逸**
ne
（辛苦一次，以后就可以永久安逸）呢？

故事中的月亮宝宝注定无法穿上合身的衣裳。看来，我们只有学会放弃一些不现实的想法，才会生活得更快乐。

狼和狮子

月亮挂上了树梢，像在和树梢说着什么悄悄话。森林里好安静，连小麻雀叫妈妈的声音都听得很清楚。狼衔着一只羊穿梭在森林里。

“留下你的羊，跑远些吧！”他的去路被狮子挡住了。只见狮子恶狠狠地瞪着狼，眼睛里射出凶光。狼就抓到这么一只小羊，给了狮子的话，他就得挨饿，于是狼说道：“你怎么可以抢走我的羊呢？”

狮子笑道：“这羊恐怕是你抢的吧？那我为什么不能再抢一次呢？”

小螃蟹和母螃蟹

那是一个美丽的浅水湾，碧波荡漾，金色的阳光洒遍沙滩。小螃蟹和伙伴们在这儿尽情玩耍，开心极了。

突然，螃蟹妈妈生气地朝小螃蟹喊道：“瞧，你横着爬多难看！为什么不直着爬呢？”

“可是妈妈，那你能教我怎样直爬吗？”小螃蟹一脸不服气。

于是，螃蟹妈妈努力练习直爬，可用尽了所有方法都不行。

她这才明白，身教重于言传。

想一想

螃蟹妈妈对小螃蟹提出了什么要求？他是怎么反驳自己的妈妈的？

____

láng hé mián yáng
狼和绵羊

yì qún láng chōng jin mián yáng qún zhōng zhāng kai xuè pén dà kǒu chī diào le hěn duō mián
一群狼冲进绵羊群中，张开血盆大口，吃掉了很多绵
yáng tā men bǎo cān yí dùn hòu xīn li hěn gāo xìng zài cǎo yuán shang bù tíng de dà shēng
羊。他们饱餐一顿后，心里很高兴，在草原上不停地大声
jiào zhe
叫着。

zhè shí yǒu yì zhī láng kàn jiàn yì zhī mǔ mián yáng dǎo zài dì shang dàn shēn shang bìng méi
这时，有一只狼看见一只母绵羊倒在地上，但身上并没
yǒu shāng kǒu láng zǒu guo qu kàn le kàn jué de hěn qí guài xīn xiǎng mǔ mián yáng kěn dìng
有伤口。狼走过去看了看，觉得很奇怪，心想母绵羊肯定
shì yīn wei dǎn zi xiǎo suǒ yǐ kàn jiàn gāng cái de xuè xīng chǎng miàn bèi xià hūn le tā hěn
是因为胆子小，所以看见刚才的血腥场面被吓昏了。他很
xiǎng zhī dào zhēn xiàng biàn zǒu dào tā miàn qián shuō kě lián de mǔ mián yáng nǐ hěn shàn
想知道真相，便走到她面前，说：“可怜的母绵羊，你很善
liáng zhǐ yào nǐ kěn xiàng wǒ shuō sān jù zhēn huà wǒ jiù fàng le nǐ bù shāng hài nǐ
良。只要你肯向我说三句真话，我就放了你，不伤害你！”

mǔ mián yáng shuō nǐ shuō huà suàn shù ma
母绵羊说：“你说话算数吗？”

dāng rán láng yì liǎn chéng kěn de shuō
“当然！”狼一脸诚恳地说。

mǔ mián yáng shuō dì yī jù zhēn huà shì wǒ shí zài bú yuàn yì pèng jiàn
母绵羊说：“第一句真话是：我实在不愿意碰见
láng yīn wei pèng jiàn láng jiù yì wèi zhe yào zāo yāng dì
狼，因为碰见狼就意味着要遭殃；第

二句真话是：如果命中注定，就让我碰见一只瞎眼狼，那样，我或许还能保住性命；第三句真话是：但愿所有的狼都不得好死，因为我们一点儿也没有**妨碍**（使事情不能顺利进行）你们，而你们却总要与我们为敌！”

“三句话说完了？”狼问。

“说完了，看你能把我怎么样！”母绵羊盯着狼，坚定地说。

“不错，你说的都是真话，我也说话算话！”狼说完，丢下母绵羊，走了。

我的读后感
母绵羊能说出真话，说明她很勇敢；狼能兑现承诺，表明狼讲诚信。由此可见：如果听不得真话，就永远看不清自己或真相。

lǎo láng hé mǔ shān yáng
老狼和母山羊

zài yí ge dǒu qiào de shān yá shang zhǎng mǎn le xiān nèn de qīng cǎo yuǎn yuǎn wàng qu lù yóu yóu de měi lì jí le
　　在一个陡峭的山崖上，长满了鲜嫩的青草，远远望去，绿油油的，美丽极了。

shān yáng mā ma fā xiàn le zhè kuài bǎo dì yōu xián zì dé de zài zhè li chī zhe měi wèi de qīng cǎo yì zhī jī è de lǎo láng lái dào shān yá xia yǎng wàng zhe shān yáng mā ma tā duō me xiǎng pǐn cháng yí xià měi wèi de yáng ròu dà cān na kě shì tā gēn běn méi yǒu bàn fǎ zhuō dào tā
　　山羊妈妈发现了这块宝地，悠闲自得地在这里吃着美味的青草。一只饥饿的老狼来到山崖下，仰望着山羊妈妈。他多么想品尝一下美味的羊肉大餐哪！可是，他根本没有办法捉到她。

jiǎo huá de lǎo láng líng jī yí dòng jì shàng xīn lái tā jiǎ xīng xīng de duì shān yáng mā ma shuō wèi měi lì de yáng xiǎo jiě nǐ yào xiǎo xīn na nàr tài wēi xiǎn le yí bù liú shén hěn róng yì diào jin shān gǔ li de qǐng nǐ gǎn kuài xià lai ba shān yáng mā ma piē le lǎo láng yì yǎn bìng méi yǒu lǐ tā
　　狡猾的老狼灵机一动，计上心来。他假惺惺地对山羊妈妈说：“喂，美丽的羊小姐，你要小心哪！那儿太危险了！一不留神很容易掉进山谷里的。请你赶快下来吧！”山羊妈妈瞥了老狼一眼，并没有理他。

lǎo láng jì xù jiǎ zhuāng wēn róu de hǎn dào yáng mèi mei wǒ shì duō me guān xīn nǐ ài hù nǐ ya qiú qiu nǐ wèi le nǐ zì jǐ de ān quán gǎn kuài xià lai ba shān yáng mā ma xīn xiǎng nǐ zhè shì huáng shǔ láng gěi jī bài nián méi ān hǎo xīn wǒ cái bú huì shàng dàng ne
　　老狼继续假装温柔地喊道：“羊妹妹，我是多么关心你，爱护你呀！求求你，为了你自己的安全，赶快下来吧！”山羊妈妈心想：你这是“黄鼠狼给鸡拜年——没安好心”。我才不会上当呢！

老狼仍旧不死心，忍着心中的怨气，继续劝道：“我的眼前也有一片绿草地，瞧，这儿的草多么茂盛、多么鲜嫩哪！还开着许多野花呢！真是美丽极了。相信我，快下来吧！”山羊妈妈早已看透了老狼的诡计，怎么会上当呢？她说：“狼先生，你让我去吃青草是假，让我去填饱你饥饿的肚子才是真吧？”说罢，她继续在那陡峭的山崖上，吃着美味的鲜草。对山羊妈妈来说，这里十分安全！

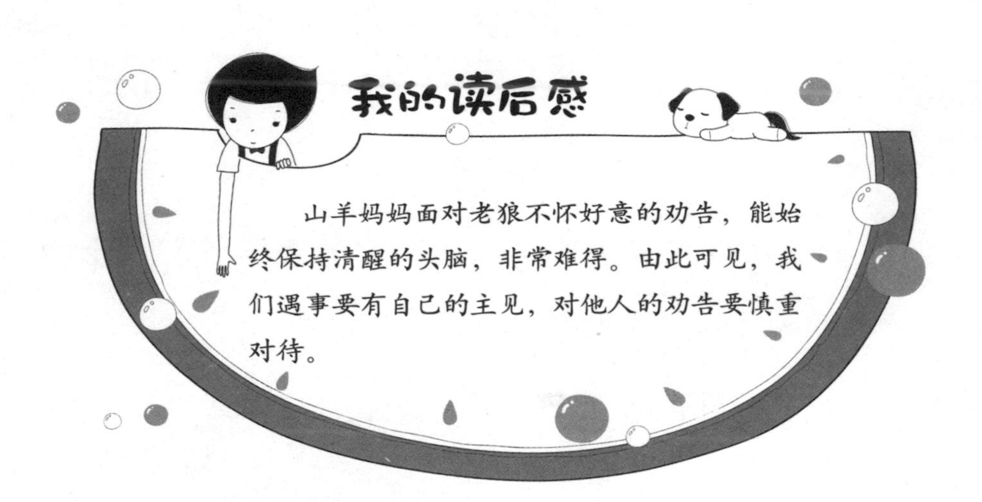

我的读后感
山羊妈妈面对老狼不怀好意的劝告，能始终保持清醒的头脑，非常难得。由此可见，我们遇事要有自己的主见，对他人的劝告要慎重对待。

kǒu kě de gē zi
口渴的鸽子

xiǎo gē zi kǒu kě le dào chù zhǎo shuǐ hē zhè shí huà zài zhāo pai shang de yì bēi
小鸽子口渴了，到处找水喝。这时，画在招牌上的一杯
shuǐ chū xiàn zài tā yǎn qián
水出现在他眼前。

xiǎo gē zi shí zài kǒu kě jí le tā duō me kě wàng kuài yì diǎnr
小鸽子实在口渴极了，他多么渴望快一点儿
hē dào nà bēi shuǐ ya tā pāi da zhe chì bǎng měng fēi guo qu yí xià
喝到那杯水呀！他拍打着翅膀猛飞过去，一下
zi zhòng zhòng de zhuàng dào le zhāo pai shang xiǎo gē zi zěn me
子重重地撞到了招牌上。小鸽子怎么
yě méi xiǎng dào nà bēi shuǐ shì huà de ya tā de chì
也没想到那杯水是画的呀！他的翅
bǎng zhuàng duàn le tā zuò zài dì shang
膀撞断了，他坐在地上
shāng xīn de kū le qǐ lái jié guǒ bèi yí
伤心地哭了起来，结果被一
ge guò lù rén zhuō zhù le
个过路人捉住了。

zhè ge gù shi gào su wǒ men
这个故事告诉我们，
yù wàng zài qiáng liè zuò shì yě yào xiǎo
欲望再强烈，做事也要小
xīn jǐn shèn
心谨慎！

láng lái le
狼来了

cóng qián yǒu ge mù yáng rén gěi cūn li de rén fàng yáng měi tiān bàng wǎn tā āi
从前有个牧羊人，给村里的人放羊。每天傍晚，他挨
jiā āi hù qù bǎ yáng jí zhōng qi lai rán hòu gǎn dào cūn zi duì miàn de shān pō shang qù chī
家挨户去把羊集中起来，然后赶到村子对面的山坡上去吃
cǎo dì èr tiān zǎo chen dāng tài yáng cóng dōng fāng shēng qi shí tā cái bǎ yáng qún gǎn hui
草。第二天早晨，当太阳从东方升起时，他才把羊群赶回
cūn zi guān jin gè jiā de yáng juàn
村子，关进各家的羊圈。

yì tiān yè li dāng mù yáng rén gū líng líng yí ge rén zuò zài yè mù lǒng
一天夜里，当牧羊人孤零零一个人坐在夜幕笼
zhào de shān pō shang tiào wàng yuǎn chù de cūn zhuāng shí nǎo zhōng bù yóu de shǎn guo
罩的山坡上，眺望远处的村庄时，脑中不由得闪过
yí ge niàn tou cūn li
一个念头：“村里
de rén dōu zài shuì jiào
的人都在睡觉，
zhǐ yǒu wǒ yí ge rén
只有我一个人

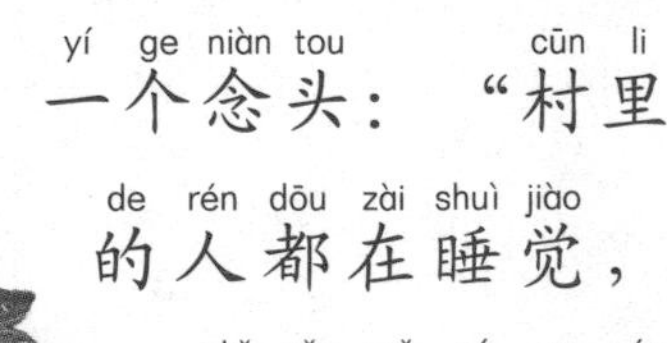

zài zhèr bāng tā men fàng yáng zhè tài bù gōng píng le
在这儿帮他们放羊，这太不公平了！”

yú shì mù yáng rén zhàn qi shēn chě zhe sǎng zi chòng zhe cūn zi hǎn dào láng
于是，牧羊人站起身，扯着嗓子，冲着村子喊道：“狼
lái le láng lái le xiāng qīn men kuài lái ya
来了！狼来了！乡亲们，快来呀！”

cūn mín men bèi mù yáng rén nà cì pò yè kōng de hū jiù shēng jīng xǐng tā men fēn fēn pǎo
村民们被牧羊人那刺破夜空的呼救声惊醒，他们纷纷跑
chu wū zi yǒu de wò zhe liè qiāng yǒu de tí zhe tiě gǎo yǒu de chāo zhe mù gùn pīn
出屋子，有的握着猎枪，有的提着铁镐，有的抄着木棍，拼
mìng wǎng shān pō shang pǎo qu
命往山坡上跑去。

kě shì dāng cūn mín men qì chuǎn xū xū de pǎo dào shān pō shang shí zhǐ kàn dào yáng
可是，当村民们气喘吁吁地跑到山坡上时，只看到羊
qún zhèng jìng jìng de chī zhe cǎo mù yáng rén zhàn zài nàr xiào xī xī de děng zhe tā men
群正静静地吃着草，牧羊人站在那儿，笑嘻嘻地等着他们。
láng ne láng zài nǎr cūn mín men bù jiě de wèn láng bèi wǒ de hǎn shēng
“狼呢？狼在哪儿？”村民们不解地问。“狼被我的喊声
xià pǎo le quán dōu duǒ jin sēn lín le mù yáng rén xiào zhe huí dá shuō bú guò
吓跑了，全都躲进森林了。”牧羊人笑着回答说，“不过，
wǒ dān xīn tā men hái huì cuān chu lai nà wǒ men jiù péi nǐ dào zǎo chen
我担心他们还会蹿出来。”“那我们就陪你到早晨
ba cūn mín men duì mù yáng rén
吧！”村民们对牧羊人
bǎo zhèng shuō jiù zhè yàng cūn
保证说。就这样，村
mín men tōng xiāo dá dàn
民们**通宵达旦**（从
入夜直到天亮），陪
péi
le mù yáng rén zhěng zhěng yí
了牧羊人整整一

夜。然而，一只狼也没出现。

过了好些日子，一天晚上，牧羊人又大声呼喊：“狼来了！狼来了！乡亲们，快来呀！”村民们又一次着急地跑上山坡，可同样没发现任何狼的踪迹。牧羊人对自己想出的把戏十分得意。

不久后的一天晚上，真的有两只狼来到山坡上。牧羊人吓坏了，惊慌失措地大声呼喊：“乡亲们，快来呀！狼来了！狼来了！”村民们尽管听到了牧羊人的呼喊声，但都装作没听见，翻个身继续睡他们的觉，不肯再白白地跑一趟，上牧羊人的当。

两只狼一连咬死了十几只羊，剩下的羊全都吓得四处逃散。结果，牧羊人一个人**胆战心惊**（形容害怕至极）地回到了村子。“羊在哪儿？”村民们不解地问牧羊人。“都被狼吃掉了。”牧羊人低着头回答说，“我大声呼喊，可你们都不跑来赶狼！”

“这全是你的错！”村民们愤怒地指责牧羊人说，“你对我们说了那么多次谎话，我们怎么知道你这一次说的是真话呢？”

hú li hé miàn jù
狐狸和面具

hú li de yǎn zhū zuǒ zhuàn yòu zhuàn zuǒ kàn yòu kàn tā yáo yao máo róng róng de wěi
狐狸的眼珠左转右转，左看右看，他摇摇毛茸茸的尾
ba yì huǎng jiù shǎn jin le yí ge yǎn yuán de jiā zhōng tā dōng fān xī zhǎo xiǎng zhǎo chu
巴，一晃就闪进了一个演员的家中。他东翻西找，想找出
yì xiē dōng xi lái tián bǎo tā nà gū lū jiào de dù zi chī de méi yǒu zhǎo dào tā què fān
一些东西来填饱他那咕噜叫的肚子。吃的没有找到，他却翻
chu lai yí ge zuò de xiàng rén liǎn de miàn jù
出来一个做得像人脸的面具。

hú li xiàng ge jiǎn yàn zhě yí yàng bǎ zhuǎ zi fàng zài miàn jù shàng miàn yáo yao tóu
狐狸像个检验者一样，把爪子放在面具上面，摇摇头，
hǎo xiàng cháo xiào yòu hǎo xiàng tàn qì de shuō āi yā zhè ge rén liǎn miàn jù piào liang shì
好像嘲笑又好像叹气地说：“哎呀，这个人脸面具漂亮是
piào liang kě háo wú yòng chù wa yīn wei tā wán quán méi yǒu dà nǎo ma
漂亮，可毫无用处哇，因为它完全没有大脑嘛！”

狐狸在演员的家里做什么？他是怎么看待自己找到的这个面具的？

狐狸和豹

一天，狐狸和豹争论谁更漂亮，他们争得很激烈，狐狸的脸都红了，豹的耳朵都竖了起来。

豹说：“你看我身上装饰着的一个个美丽的斑点，在金色的皮肤上，黑色的斑点是多么美丽和华贵呀！你没有我这样美丽的斑点，怎么敢和我比美呢？”这时，狐狸打断了他的话，笑着说：“美丽的斑点又怎么样呢？我比你漂亮得多，我的美不在外表上面，而是在我的心里呀！”

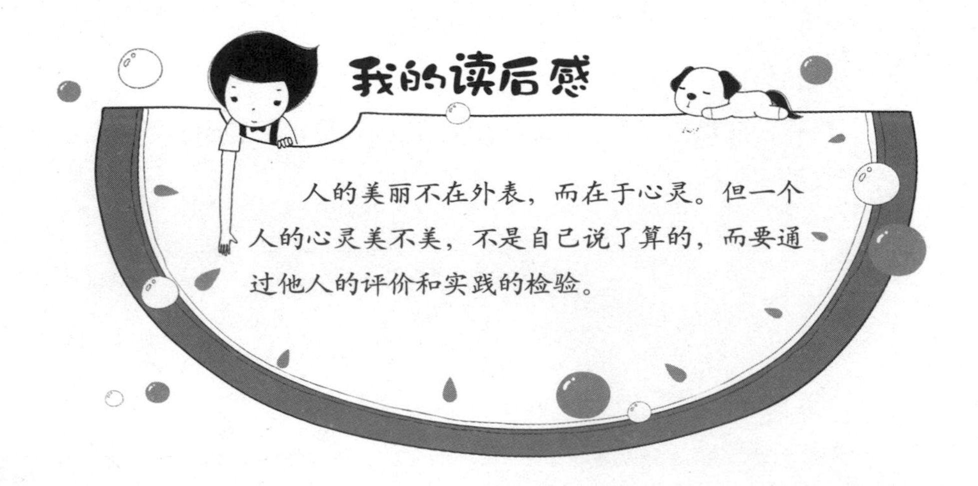

我的读后感

人的美丽不在外表，而在于心灵。但一个人的心灵美不美，不是自己说了算的，而要通过他人的评价和实践的检验。

磨坊主、他的儿子和驴

一天，磨坊主和他的儿子牵着驴去集市上卖。走到井边时，一群正在打水的妇女看到了他们，讥笑着说：“哪有这么傻的人哪！有驴都不骑。”

于是，磨坊主让他的儿子骑上了驴背。当他们来到一群晒太阳的老年人当中时，一个老人生气地说：“这儿子多不孝顺（尽心尽力照顾长辈）哪！”

磨坊主的儿子赶紧跳下来，让父亲骑上去。可是，没走一会儿，有一个带着小孩儿的妈妈又说磨坊主不爱护自己的

儿子。磨坊主听了，马上把儿子抱了上来，驴的背都被压弯了。

当他们来到集市上时，一个市民说：“你们怎么能这样虐待自己的驴呢？”磨坊主和他的儿子又只好跳下来，把驴的四只脚用绳子捆了起来，用棍子抬着走。

他们的样子很**滑稽**（形容人的语言、动作等幽默诙谐，引人发笑），周围的人看见了都笑得直不起腰来。驴在吵闹声中不高兴了，拼命挣脱了绳子，身子一翻，掉进了河里。

磨坊主深深地叹了一口气，对儿子说：“要想让每个人都满意，太难啦，最后只会让自己失去更多。”

我的读后感
一个人做事要有自己的主见，而不要被他人的建议左右。那样，就什么事也做不成了。

狐狸和乌鸦

有一只乌鸦偷来一块肉，把它衔在嘴里，落在一棵树上。当她正准备享受这顿美餐的时候，有只狐狸看到了她，非常想把那块肉弄到手，便用了个诡计。他对乌鸦说：“乌鸦，你多么美丽呀！你体态美，脸也美！就是声音不太动听，如果声音也能美的话，你真该是鸟中的皇后了！”狐狸说的话是在骗乌鸦，但乌鸦着急要**反驳**（提出反对的理由）狐狸对她声音的看法，便用力“呱呱”地叫了几声，她嘴中的那块肉就掉落下来了。狐狸赶紧把肉拾起来吞进肚子里，然后对乌鸦说：“我亲爱的乌鸦，你的声音很不错，可是你的脑子却不行。”

想一想

乌鸦嘴里的肉为什么掉了下来？这个故事让你感悟到了什么道理？

láng hú li hé hóu zi
狼、狐狸和猴子

zài sēn lín li láng hé hú li shì lín jū kě shì tā men zhī jiān de guān xi bìng
在森林里，狼和狐狸是邻居，可是他们之间的关系并
bù hǎo
不好。

zhè tiān láng jiā li diū le dōng xi tā xiǎng yí dìng shì hú li tōu de tā jīng cháng
这天，狼家里丢了东西，他想：一定是狐狸偷的，他经常
tōu bié rén de dōng xi yú shì tā biàn qù zhǎo shī zi dà wáng bào àn shuō hú li tōu le tā
偷别人的东西。于是，他便去找狮子大王报案，说狐狸偷了他
de dōng xi
的东西。

shī zi dà wáng biàn dài zhe láng lái dào hú li jiā
狮子大王便带着狼来到狐狸家
diào chá hú li kàn dào tā men lái hěn shēng qì duì
调查。狐狸看到他们来很生气，对
láng shuō nǐ jiā li de nà xiē dōng xi nǎ yí
狼说：“你家里的那些东西，哪一
yàng bú shì tōu lai de jīn tiān nǐ fǎn dào lài
样不是偷来的？今天，你反倒赖
wǒ tōu nǐ de dōng xi tā yòu zhuǎn guò shēn
我偷你的东西！”他又转过身
lai duì shī zi dà wáng shuō
来，对狮子大王说：
zuò wéi láng de lín jū
“作为狼的邻居，
wǒ yě cháng cháng bèi tā tōu
我也常常被他偷，
wǒ yě shì shòu hài zhě jīn
我也是受害者。今

天，大王您为什么要听信狼的话而来调查我呢？您还是去问问他到底都偷了人家什么东西吧！”

狐狸的话让狼很生气，他大声嚷着：“闭嘴，你别以为你的花言巧语能骗过我们，我的东西一定是你偷的。”可是狐狸反倒冷笑道：“你说说，你到底什么东西被偷了？别在这里一个劲儿地**诬陷**（编造罪状以陷害他人）人。”

他们的争论让狮子大王很头疼，狮子大王便让猴子法官来断这个案子。

猴子法官微笑地注视着森林里这两个**作恶多端**（所做的坏事太多）的家伙，说：“狼，你说你丢了东西，那你能够拿出证据证明哪些东西是属于你的吗？如果不能证明，那么你就没有丢过东西。”

猴子法官又看了看狐狸说：“等会儿把这里的东西都拿出来查一查，看看哪些东西能够被证明是你自己的。如果都能够证明的话，就可以还你清白了……”

猴子法官还未说完，狼和狐狸就夹着尾巴溜走了。

lǎo shǔ hé dà xiàng
老鼠和大象

dà jiē shang hǎo rè nao wa
大街上好热闹哇！

yuán lái shì guó wáng chū yóu le
原来是国王出游了。

tā zuò zài yì tóu dà xiàng shēn shang hái dài zhe tā piào liang de wáng fēi hé chǒng ài de māo gǒu yīng wǔ hóu zi
他坐在一头大象身上，还带着他漂亮的王妃和宠爱的猫、狗、鹦鹉、猴子。

rén men dōu gēn zhe dà xiàng màn màn de zǒu zhe
人们都跟着大象慢慢地走着。

zhěng tiáo jiē jǐ de mǎn mǎn de
整条街挤得满满的。

lǎo shǔ yě cuān dào jiē shang còu rè nao kàn jiàn rén men dōu zài huān hū gǔ zhǎng
老鼠也蹿到街上凑热闹，看见人们都在欢呼鼓掌，

xīn li hěn bù shū fu
心里很不舒服。

nǐ men tài chǔn le wèi shén me gēn zhe yì tóu dà xiàng pǎo wa lǎo shǔ rāng rang
“你们太蠢了，为什么跟着一头大象跑哇？”老鼠嚷嚷

dào dà xiàng yǒu shén me hǎo kàn de tā hái bú shì hé wǒ yí yàng liǎng zhī gē bo
道，“大象有什么好看的？他还不是和我一样，两只胳膊，

liǎng tiáo tuǐ
两条腿。”

méi yǒu yí ge rén lǐ tā
没有一个人理他。

yú shì lǎo shǔ shuō de gèng dà shēng le jiù yīn wei tā hěn páng dà
于是老鼠说得更大声了：“就因为他很庞大，

nǐ men jiù xǐ huan tā ma dà yǒu shén me hǎo xià hu xiǎo háir de xiǎo bǎ
你们就喜欢他吗？大有什么好？吓唬小孩儿的小把

xì bà le wǒ yě zuò de dào
戏罢了，我也做得到。”

zhè shí hou zhàn zài dà xiàng shēn shang de māo měng de xiàng lǎo shǔ
这时候，站在大象身上的猫猛地向老鼠

pū qu yí xià jiù bǎ lǎo shǔ àn zài le dì shang sān kǒu liǎng kǒu
扑去，一下就把老鼠按在了地上，三口两口

chī diào le
吃掉了。

丢掉尾巴的狐狸

一只狐狸不小心被捕猎夹给夹住了，她用尽力气挣脱了身体，可她那条蓬松的毛茸茸的大尾巴，却永远失去了。

这只爱美的狐狸非常**沮丧**（灰心失望），她再也不能翘起美丽的大尾巴，在森林中骄傲地走来走去了。

后来，狐狸灵机一动，想出了一个计谋。有一次，在狐狸们的聚会上，她向大家说：“朋友们，看你们的粗尾巴多难看哪，走起路来，就像拖着一把沉重的大刷子。”

没尾巴的狐狸又扭动着

身子，转了几圈，继续说：“看看我，没有尾巴是多么漂亮、多么轻盈。我劝你们还是像我一样，断掉尾巴吧，我可都是为了你们好……”

还没等她说完，另一只狐狸就打断了她的话：“你如果不是被夹掉尾巴，就不会劝我们也断掉尾巴了，对不对？”

这只没尾巴的丑狐狸，马上涨红了脸，灰溜溜地逃走了。

我的读后感
一个人只有为他人着想，才能获得他人的尊重；反之，就会受到他人的唾弃。

yīng hé hán yā
鹰和寒鸦

tài yáng chū lai le zhěng gè dà dì bèi zhào de liàng táng táng de
太阳出来了，整个大地被照得亮堂堂的。

yáng mā ma hé yáng bà ba lǐng zhe yì qún yáng bǎo bao hào hào dàng dàng
羊妈妈和羊爸爸领着一群羊宝宝浩浩荡荡（形容声势很大）

de xiàng shān pō pá qu zhǎo dào le yí piàn tā men mǎn yì de nèn cǎo
地向山坡爬去，找到了一片他们满意的嫩草。

xiǎo yáng men yǒu de tǎng zài cǎo dì shang shài tài yáng yǒu de wéi zài bà
小羊们有的躺在草地上晒太阳，有的围在爸

爸妈妈身边撒娇，有的聚在一起捉迷藏……快乐极了！

一只小羊吃饱了，跑到小溪边去喝水。

这时，一只鹰直冲下来，一把揪起小羊，不紧不慢地拍了两下翅膀，稳稳地飞回了悬崖上的窝。

寒鸦正好在树上歇息，看见了这一切，十分羡慕。他噼噼啪啪地扇动翅膀，飞到羊爸爸的身上，想证明他可以抓起一只大羊。

结果羊爸爸太重，寒鸦用力过猛，爪子被缠在羊毛里拔不出来了。

牧人来了，捉住了寒鸦，剪短了他的羽毛。傍晚，牧人的孩子看到了，问道：“这是什么鸟呢？”

牧人回答道：“一只寒鸦吧，可惜他硬要做一只老鹰。”

hóu zi hé luò tuo
猴子和骆驼

niǎor men tóu shang chā zhe wǔ yán liù sè de huā duǒ fēi lái fēi qù tù zi men zài cǎo
鸟儿们头上插着五颜六色的花朵飞来飞去，兔子们在草
dì shang chuī qi le qì qiú dà xiàng yòng tā cháng cháng de bí zi zài dā wǔ tái suǒ yǒu
地上吹起了气球，大象用他长长的鼻子在搭舞台……所有
de dòng wù dōu zài máng zhe tā men dào dǐ yào gàn shén me ne
的动物都在忙着，他们到底要干什么呢？

yuán lái sēn lín lián huān huì yào jǔ xíng la dào
原来，森林联欢会要举行啦！到
le wǎn shang suǒ yǒu de dòng wù dōu dào qí le dà jiā
了晚上，所有的动物都到齐了，大家
zuò chéng yí ge quān bǎ wǔ tái wéi
坐成一个圈，把舞台围
zài zhōng jiān
在中间。

shǒu xiān shàng chǎng biǎo yǎn jié mù de
首先上场表演节目的
shì hóu zi tā huī dòng zhe dàn lǜ sè
是猴子，他挥动着淡绿色
de cháng xiù qīng yíng de wǔ lái wǔ
的长袖，轻盈地舞来舞
qù hǎo xiàng liǔ shù de zhī tiáo zài chūn
去，好像柳树的枝条在春
fēng zhōng yáo dòng yíng dé le yí zhèn zhèn
风中摇动，赢得了一阵阵
rè liè de zhǎng shēng
热烈的掌声。

luò tuo jí dù hóu zi
骆驼嫉妒猴子

dé dào le zhè me duō zàn měi rěn bu zhù chōngshang le tái tā zhàn zài wǔ tái zhōngyāng
得到了这么多赞美，忍不住冲上了台。他站在舞台中央，
duì dà jiā jū le yí ge gōng shuō xiàn zài jiù yóu tiān cái wǔ dǎo jiā luò tuo
对大家鞠了一个躬，说：“现在，就由天才舞蹈家——骆驼
wèi dà jiā biǎo yǎn ba
为大家表演吧。”

zhè fēng kě xiào de luò tuo zài tái zi zhōng jiān luàn tiào hái wāi lái wāi qù de tā de
这峰可笑的骆驼在台子中间乱跳，还歪来歪去的。他的
dà tí zi tà zài wǔ tái shang chà diǎnr bǎ mù bǎn gěi cǎi huài le
大蹄子踏在舞台上，差点儿把木板给踩坏了。

dà jiā shí zài shòu bu liǎo la gǎn jǐn bǎ tā lā xia lai yòng gùn zi bǎ tā dǎ chu
大家实在受不了啦，赶紧把他拉下来，用棍子把他打出
le huì chǎng luò tuo méi hóu zi tiào de hǎo què piān yào xuàn yào jié guǒ luò de zhè yàng yí
了会场。骆驼没猴子跳得好，却偏要炫耀，结果落得这样一
ge xià chǎng
个下场。

为什么猴子的表演赢得了热烈的掌声，而骆驼卖力地表演却被打出了会场？

xiǎo tōu shā sǐ tǎo ráo de gōng jī
小偷杀死讨饶的公鸡

jǐ ge xiǎo tōu liū jin yì jiān wū zi rèn hé dōng xi dōu méi yǒu zhǎo dào zhǐ kàn dào
几个小偷溜进一间屋子，任何东西都没有找到，只看到
yì zhī gōng jī jiù bǎ tā tōu le rán hòu xùn sù chè lí tā men yì huí qu jiù yào shā
一只公鸡，就把他偷了，然后迅速撤离。他们一回去就要杀
diào zhè zhī gōng jī gōng jī kěn qiú tā men ráo mìng shuō qǐng ráo shù wǒ ba wǒ duì
掉这只公鸡，公鸡恳求他们饶命，说："请饶恕我吧，我对
rén de yòng chù shì hěn duō de wǒ néng jiào xǐng rén men qù gōng zuò xiǎo tōu huí dá shuō
人的用处是很多的。我能叫醒人们去工作。"小偷回答说：
zhèng shì yīn wei zhè ge yuán yīn wǒ men cái fēi yào shā le nǐ yīn wei nǐ bǎ nǐ de lín
"正是因为这个原因，我们才非要杀了你，因为你把你的邻
jū men chǎo xǐng le jiù bǎ wǒ men de mǎi mai gěi pò huài le
居们吵醒了，就把我们的买卖给破坏了。"

zhè ge gù shi shì shuō duì zuò è zhě lái shuō dào dé de bǎo wèi zhě shì kě hèn de
这个故事是说，对作恶者来说，道德的保卫者是可恨的。

想一想

你怎么看待公鸡恳求小偷饶命这件事？小偷为什么要杀了公鸡？

老狼与牧羊人

在一个村庄里，有个牧羊人养了许多羊。每天他总是精心地照顾着自己心爱的羊。

一只老狼一直对牧羊人的羊群**垂涎**（因想吃到而流下口水，后来比喻看见别人的好东西想得到）不已，几次想偷羊吃。可是牧羊人很谨慎，老狼一直没有机会下手。狡猾的狼不甘心，他终于想出了一个办法。

这天，牧羊人又来放羊了。老狼慢悠悠地在羊群周围转来转去，好像牧羊犬一样。

牧羊人见了很纳闷儿，心想："老狼在干什么呢？不管怎样我都不能让他伤害我的羊。"想到这儿，牧羊人警惕地监视着老狼的一举一动。

这时，从附近山坡上忽然蹿出来一只灰狼，凶猛地朝羊群扑来。牧羊人正准备开枪，却见老狼猛冲上去，截住了灰狼。两只狼撕咬起来，鲜血四溅，狼毛乱飞。

一阵厮杀后，灰狼被老狼打败了，夹着尾巴逃跑了。老狼呢，又像牧羊犬一样，在羊群周围**巡逻**（巡查警戒以保安全）着。

看到这儿，牧羊人很高兴。他向老狼招招手。老狼驯服地走到牧羊人身边，像一只温顺的狗那样舔舔牧羊人的手。牧羊人觉得他一定会是自己忠实的牧羊助手，于是决定把他带回家，让他帮助自己牧羊。

过了几天，牧羊人外出办事，便把羊群交给老狼看管，他对老狼交代了一番，然后，放心地走了。

等牧羊人走远了，老狼心想："哈哈，我终于熬出头了，这个笨牧羊人这下可上当了。我现在可以放心地吃羊了。"于是，老狼贪婪地吃起羊来。老狼吃饱后，不仅带走了几只羊，还把剩下的羊全部咬死了。

牧羊人办完事回到家里，进门一看，羊全被咬死了，老狼也无影无踪了。他后悔地说："我真糊涂哇！我怎么会把羊群交给狼看管呢！我忘了，不管狼怎么伪装，狼吃羊的本性是不会改变的呀！"

chī jì de lǘ
吃蓟的驴

yí ge qíng lǎng de zǎo chen xiǎo lǘ tuó zhe hǎo xiē
一个晴朗的早晨，小驴驮着好些
měi wèi de shí wù dào dì li qù zhè xiē shí wù shì gěi
美味的食物到地里去。这些食物是给
zhǔ rén hé xiǎo niú chī de tā men zhèng máng zhe zài dì
主人和小牛吃的，他们正忙着在地
li gàn huó ne xiǎo lǘ tuó zhe tián miàn bāo xiān
里干活呢。小驴驮着甜面包、鲜
nǎi lào hái yǒu xiān nèn de qīng cǎo tā men
奶酪，还有鲜嫩的青草，它们
sàn fā chu zhènzhèn yòu rén de xiāng wèi
散发出阵阵诱人的香味。

xiǎo lǘ zǒu wa zǒu wa dù zi yuè lái
小驴走哇走哇，肚子越来
yuè è kě bèi shang de shí wù yì diǎnr
越饿，可背上的食物一点儿
dōu diào bu qǐ tā de wèi kǒu tū rán
都吊不起他的胃口。突然，
xiǎo lǘ fā xiàn lù biān yǒu yì kē jì yòu cū
小驴发现路边有一棵蓟又粗
yòu dà zhī shuǐ fēng fù tā xīng fèn
又大，汁水丰富。他兴奋
de chōng le guò qù dà kǒu dà kǒu de
地冲了过去，大口大口地
chī qi lai lù chu le mǎn zú de xiào
吃起来，露出了满足的笑
róng nà kě shì yòu kǔ yòu yǒu
容。那可是又苦又有

cì de jì ya xiǎo lú què huānhuān xǐ xǐ de chī le ge jīng guāng
刺的蓟呀，小驴却欢欢喜喜地吃了个精光。

xiǎo lú yì biān tiǎn zhe zuǐ chún huí wèi zhe jì de zī wèi yì biān àn àn de xiǎng yí
小驴一边舔着嘴唇回味着蓟的滋味，一边暗暗地想：“一

dìng yǒu rén shuō wǒ shǎ ba wǒ bēi zhe zhè me duō kě kǒu de shí wù jìng hái huì pǎo lai chī
定有人说我傻吧，我背着这么多可口的食物，竟还会跑来吃

kē zá cǎo yě xǔ měi ge rén kě wàng de shí wù shì bù yí yàng de tā xǐ huan miàn
棵杂草。也许，每个人渴望的食物是不一样的，他喜欢面

bāo nǐ xǐ huan nǎi lào ér wǒ piān piān xǐ huan zá cǎo shuí yòu shuō de qīng ne
包，你喜欢奶酪，而我偏偏喜欢杂草，谁又说得清呢？”

luó bo qīng cài gè yǒu suǒ ài bú shì ma
萝卜青菜，各有所爱。不是吗？

这个故事告诉我们：每个人的喜好都不同，我们不能以自己的好恶去评判他人，要尊重他人的选择。

nóng fū hé shé
农夫和蛇

dōng tiān lái le tiān qì fēi cháng hán lěng nóng fū qīng chén qǐ lai chū yuǎn mén zǒu zhe
冬天来了，天气非常寒冷。农夫清晨起来出远门，走着
zǒu zhe hū rán fā xiàn lù biān yǒu yì tiáo dòng jiāng le de shé tā zhèng yào bǎ shé jiǎn qi
走着，忽然发现路边有一条冻僵了的蛇。他正要把蛇捡起
lai jiù huó měng rán xiǎng qi shé shì huì yǎo rén de lián máng sōng shǒu fàng xia shé jì xù
来救活，猛然想起蛇是会咬人的，连忙松手放下蛇，继续
xiàng qián zǒu
向前走。

nóng fū yì biān zǒu yì biān xiǎng shé shì huì yǎo rén kě shì rú guǒ wǒ shì tā de
农夫一边走一边想：蛇是会咬人，可是如果我是他的
jiù mìng ēn rén tā jiù bú huì ēn jiāng chóu bào
救命恩人，他就不会**恩将仇报**（用仇恨来回报受到的恩惠），
zài yǎo wǒ yì kǒu le ba
再咬我一口了吧？

yú shì nóng fū yòu huí qu jiāng shé jiǎn qi
于是，农夫又回去将蛇捡起
lai fàng rù huái zhōng jì xù gǎn lù
来放入怀中，继续赶路。

zài nóng fū wēn nuǎn de xiōng
在农夫温暖的胸
táng shang shé hěn kuài
膛上，蛇很快
jiù néng huó dòng
就能活动
le tā zhāng
了。他张
kai kǒu xiàng nóng
开口，向农

夫的胸膛狠狠地咬了下去。

农夫忽然感到胸部一阵剧痛，他连忙解开衣扣，发现原来是蛇咬了他一口。农夫气极了，抓起蛇用力向地上一扔，用脚把蛇踩死了。

蛇毒很快蔓延到心脏，农夫只觉得面前的一切都变得模糊不清了。他叹了口气说：“蛇咬人的本性是不会变的，对于恶人，一定不能**怜悯**（对不幸的人表示同情）哪！”

想一想

开始时，农夫为什么松手放下蛇？后来，农夫为什么又捡起了冻僵的蛇？

____

māo hé gōng jī
猫和公鸡

cóng qián de māo kě bú xiàng xiàn zài zhè yàng guāi guāi de
从前的猫可不像现在这样，乖乖地

suō zài zhǔ rén wèi tā men pū hǎo de wō li děng
缩在主人为他们铺好的窝里，等

zhe zhǔ rén duān lai zuò hǎo de yú zhū gān ròu
着主人端来做好的鱼、猪肝、肉

piàn zhī lèi de dōng xi nà shí tā men dōu shì
片之类的东西。那时，他们都是

zì jǐ xià hé zhuō yú huò zhě shàng shù zhǎo má què
自己下河捉鱼，或者上树找麻雀

dàn huò zhě dào gǔ tián li dǎi yě jī de
蛋，或者到谷田里逮野鸡的。

dōng tiān lái le niǎor fēi zǒu
冬天来了，鸟儿飞走

了，河水也结冰了，连野鸡都不知道躲哪里去了。猫已经两天没有吃东西了，饿得双眼直冒金星，头重脚轻。这时，他看见一只公鸡正享用着一只刚叼来的小青虫。猫甩了甩头，轻轻地爬过去，猛地扑到公鸡身上。

他想吃公鸡，又觉得好像没有借口，于是想了想，说道：“一大清早你就大吵大闹，影响我睡觉了，所以我要把你吃掉。”公鸡辩解道：“我是为了人类，他们需要早起工作。”

“不管你有什么借口，反正我饿极了！”猫懒得多说，一口咬下了公鸡的头。

我的读后感
坏人干坏事总是能找到借口的。我们不能
轻易相信坏人的花言巧语，要学会保护自己。

mǎ niú gǒu hé rén
马、牛、狗和人

chuánshuō dāngzhòu sī chuàng zào shì jiè shí tā gěi rén de shòumìng bìng bú tài cháng
传说，当宙斯创造世界时，他给人的寿命并不太长，
hé mǎ niú gǒu zhè xiē dòng wù de shòumìng chà bu duō
和马、牛、狗这些动物的寿命差不多。

kě shì rén lèi kě bǐ qí tā dòng wù cōng míng duō le tā men yòng zì jǐ de zhì
可是，人类可比其他动物聪明多了。他们用自己的智
huì jiàn zào le fáng wū zhǐ yào zhù zài wū zi lǐ miàn jí shǐ shì guā fēng xià yǔ yě bú
慧，建造了房屋。只要住在屋子里面，即使是刮风下雨也不
pà jiù suàn shì bīng lěng de dōng tiān rén men zhǐ yào zhù zài fáng zi li jiù huì jué de wēn
怕。就算是冰冷的冬天，人们只要住在房子里，就会觉得温
nuǎn bìng qiě ān quán
暖并且安全。

dōng tiān dào le tiān xià zhe é máo bān de dà xuě yì pǐ mǎ kuài yào dòng sǐ le
冬天到了，天下着鹅毛般的大雪，一匹马快要冻死了，
tā lái dào xiǎo wū mén qián xī wàng néng nuǎn huo yí xià rén shuō ràng nǐ jìn wū kě
他来到小屋门前，希望能暖和一下。人说：“让你进屋可
yǐ dàn shì wǒ yǒu yí ge tiáo jiàn nǐ bì xū bǎ nǐ de shòumìng sòng gěi wǒ yì xiē
以，但是我有一个条件——你必须把你的寿命送给我一些，
ràng wǒ huó de gèng cháng xiē mǎ shuō kě yǐ ya nà jiù cóng wǒ de shòu mìng
让我活得更长些！”马说：“可以呀，那就从我的寿命
zhōng ná zǒu nián sòng gěi nǐ ba zhè yàng yě hǎo guo wǒ jīn tiān jiù bèi huó huó dòng sǐ
中拿走15年送给你吧。这样也好过我今天就被活活冻死
ya yú shì rén de shòumìng jiù zhè yàng yán cháng le nián
呀！”于是，人的寿命就这样延长了15年。

méi guò duō jiǔ niú yě lěng de shòu bu liǎo le tā yě lái qǐ qiú rén de bāng zhù
没过多久，牛也冷得受不了了，他也来乞求人的帮助。
rén shuō xíng a bú guò wǒ hái shì nà ge tiáo jiàn bǎ nǐ de shòumìng yě sòng gěi
人说：“行啊，不过我还是那个条件——把你的寿命也送给

我15年！”牛说：“好吧，过长的寿命对我来说也没有什么意义呀！”于是，人的寿命又延长了15年。

最后，狗也冻得快要死了，他看见马、牛都安乐地生活着，也来寻求人的帮助。人说：“你就留下来吧，不过，规矩还是照旧。”狗说：“反正我们狗繁殖得快，寿命短点儿怕什么呢！”于是，人的寿命又延长了15年。

就这样，人的寿命已经有六七十岁了。后来，人漫长的一生便分成了这样几个阶段：

在宙斯给人

的岁月里，人类是那么纯洁，那么善良，这一段就是少年时期；到了马给的岁月里，人类开始骄傲自大，不能脚踏实地，这一段是青年时期；长到牛给的岁月里，人开始扎实地工作，也渐渐有所成就，这一段就是壮年时期；活到狗给的岁月，人开始暴躁起来，动不动就大吵大闹，发脾气，这一段就是老年时期。

所以，在人生的每个阶段，人都会有不同的表现。我们应该努力克服缺点，发扬优点，这样才能生活得更好。

想一想

人能分别从马、牛和狗那里得到15年的寿命，都有哪些原因？

两只羊

山崖之间搭了一座独木桥，历经多年的风吹雨打，桥变得更加窄了。加上许多小虫子在上面安了家，桥已经摇摇欲坠（形容非常危险，快要倒塌或掉下来）了。桥下是一条河，不大，水流却很急，谁要是掉下去可就没命了。

两只羊在独木桥上相遇了，双方都不愿后退。他们用弯钩般的角顶住对方。两只羊都累得气喘吁吁，于是各自后退两步，使出全身力气向前冲去。“砰！”最终他们同时掉进了河里。

我的读后感
有时，退让，不仅是给他人一条生路，也是给自己一条生路；争夺，不仅使他人无路可走，也会让自己无路可退。

lǘ zi hé luó zi
驴子和骡子

yì tiān nóng fū gǎn zhe yì tóu lǘ hé yì pǐ luó zi yùn yì pī huò wù dào jí shì shang qù mài méi zǒu duō yuǎn lǘ zi jiù kāi shǐ shēng qì le tā xiǎng luó zi de gè tóu bǐ wǒ dà duō le ér qiě tā shēnqiáng lì zhuàng píngshén me wǒ men tuó de huò wù yí yàng duō ne duō me bù gōngpíng a

一天，农夫赶着一头驴和一匹骡子，运一批货物到集市上去卖。没走多远，驴子就开始生气了，他想：骡子的个头比我大多了，而且他身强力壮，凭什么我们驮的货物一样多呢！多么不公平啊！

lǘ zi suī rán xīn li hěn bù fú qì dàn hái shi miǎn qiǎng xiàngqián zǒu le

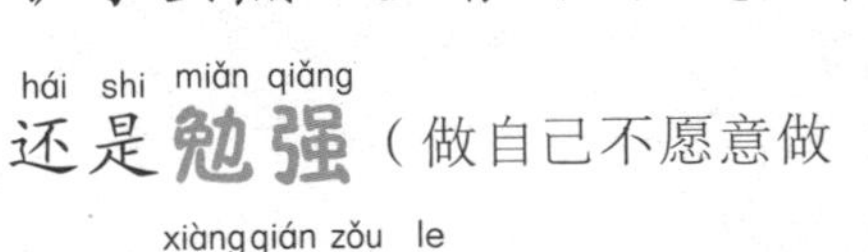

驴子虽然心里很不服气，但还是勉强（做自己不愿意做的事）向前走了。

zǒu le yí huìr nóng fū tíng xia le jiǎo bù tā xiǎng ràng lǘ hé luó zi chī bǎo le zài shàng lù

走了一会儿，农夫停下了脚步。他想让驴和骡子吃饱了再上路。

lǘ zi kàn jiàn luó zi dà kǒu dà kǒu de

驴子看见骡子大口大口地

吃着香喷喷的食物，想起刚才的辛苦，他忍无可忍，大声喊道：“骡子呀，骡子！你的饭量也太大了吧？你怎么就这么能吃呢？比我吃的双倍还多！”骡子听了，一句话也不说。

不一会儿，农夫收起剩下的饲料，和驴子、骡子一起继续赶路。

走了一段路，驴子累得气喘吁吁，大汗直流。他几乎走不动了。农夫看见了，就从驴背上拿下一部分货物，放在骡子的背上。又走了一阵子，驴子累得两腿发直，眼冒金星，几乎要晕倒过去了。农夫就把驴背上的所有货物全拿下来，放在了骡子的背上。

这时，骡子回过头来，对驴子说：“亲爱的老弟，你现在还为我吃得比你多而生气吗？我吃得多，有力气了，干得也多呀！”

驴子看见骡子吃得多，态度是怎样的？后来，驴子为什么累得要晕倒了呢？

____

狼和小山羊

夏天的傍晚，小山羊在牧场跟伙伴们说了声再见，就独自走在回家的路上。太阳公公蹲在西山顶上对着小山羊微笑，胡子都笑弯了。

小山羊可高兴啦，一路上蹦蹦跳跳的，还哼着儿歌。

有只大灰狼紧紧地跟在小山羊后面。当小山羊拐进一个僻静的山谷时，后面传来了阴险的笑声：“肥嫩鲜美的小乖乖，做我的晚餐吧！”小山羊转身一看，大灰狼正用绿绿的眼珠瞪着自己，口水从他的嘴角

流出来，掉了一地。一阵惊慌之后，小山羊镇定下来，他对狼说：“狼先生，我很愿意做您的晚餐，可我有个要求，您能让我在临死之前跳个舞吗？您给我吹支曲子伴奏，好不好？”

狼点点头，吹起了笛子，小山羊随着音乐翩翩起舞。

音乐声被风送到了牧场上，猎狗听见了声音，马上飞奔到山谷，赶走了大灰狼。狼走的时候回过头来，说：“唉！我应该直接把你吃掉的，而不是给你吹笛子呀。”

我的读后感
小山羊很聪明，很镇定，遇到危险能急中生智。这个故事告诉我们遇到危险不能害怕，越害怕越容易陷入困境，要冷静地思考。

hú li hé yáng
狐狸和羊

hú li diào jin le yí ge shēn jǐng xiǎng jìn le bàn fǎ dōu chū bu qù
狐狸掉进了一个深井，想尽了办法都出不去。

yì zhī kǒu kě de yáng zǒu dào jǐng biān hú li jí máng hǎn zhè li yǒu qīng liáng de gān quán shì shì jiè shang zuì hǎo hē de nǐ jiù xià lai hē ge gòu ba
一只口渴的羊走到井边，狐狸急忙喊：“这里有清凉的甘泉，是世界上最好喝的，你就下来喝个够吧！”

yáng xiǎng dōu méi xiǎng jiù tiào jin le jǐng li děng tā hē wán le shuǐ hú li jiù shuō ràng wǒ cǎi zài nǐ de bèi shang chū qu ba wǒ shàng qu le jiù lā nǐ yáng dā ying le
羊想都没想，就跳进了井里。等他喝完了水，狐狸就说：“让我踩在你的背上出去吧，我上去了就拉你。”羊答应了。

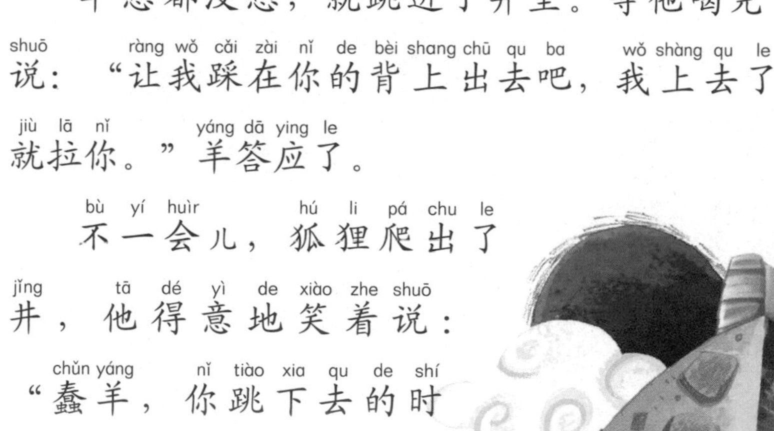

bù yí huìr hú li pá chu le jǐng tā dé yì de xiào zhe shuō chǔn yáng nǐ tiào xia qu de shí hou wèi shén me bù xiǎng yí xià rú hé lí kāi ne shuō wán hú li dà yáo dà bǎi de zǒu le
不一会儿，狐狸爬出了井，他得意地笑着说：“蠢羊，你跳下去的时候，为什么不想一下如何离开呢？”说完，狐狸大摇大摆地走了。

lā lí pá de láng
拉犁耙的狼

nóng fū zài shānshang kāi kěn le xǔ duō tī tián shānshang zhù zhe yì zhī láng tā zài
农夫在山上开垦了许多梯田。山上住着一只狼，他在
àn chù qiáo zhe zhè yí qiè nà tóu lǎo niú lā zhe lí pá qián xíng bǎ píng huá de shān pō lí
暗处瞧着这一切：那头老牛拉着犁耙前行，把平滑的山坡犁
chéng yí dào dào xiǎo gōu rán hòu nóng fū zài xiǎo gōu zhōng sǎ shang yì xiē zhǒng zi bù jiǔ
成一道道小沟。然后，农夫在小沟中撒上一些种子，不久
dì shang jiù zhǎng chu le nèn lǜ de miáo láng jué de hěn yǒu qù
地上就长出了嫩绿的苗。狼觉得很有趣。

yǒu yì tiān láng qiāo qiāo de zǒu dào lí pá páng bù zhī bù jué de bǎ shēn zi shēn le
有一天，狼悄悄地走到犁耙旁，不知不觉地把身子伸了
jìn qù kě zài yě tuì bu chū lái le nóng fū kàn jiàn láng zhè fù mú yàng ná qi fǔ zi
进去，可再也退不出来了。农夫看见狼这副模样，拿起斧子
zhuī gǎn guo qu láng hài pà de shuō hǎo xīn de nóng fū qǐng bú yào shāng hài wǒ wǒ
追赶过去。狼害怕地说：“好心的农夫，请不要伤害我！我
yǐ hòu huì xiàng lǎo niú nà yàng tiān tiān wèi nǐ gēng tián zhòng dì de nóng fū què cóng tā de
以后会像老牛那样天天为你耕田种地的！”农夫却从他的
yǎn li kàn chu tā duì lǎo niú bù huái hǎo yì yú shì zhuī shang qu bǎ láng kǎn sǐ le niú gāo
眼里看出他对老牛不怀好意，于是追上去把狼砍死了。牛高
xìng de diǎn le diǎn tóu
兴地点了点头。

想一想

狼觉得什么事情很有趣？农夫为什么不相信狼的话？

____

兔子和青蛙

一天，兔子们在一起召开大会，大家共同探讨生活的意义。他们心里总压着一块石头，老是担惊受怕，觉得自己特别胆小。他们时常遭受人、狗、鹰和其他动物的无端伤害，生活中满是危险，越说越觉得生活没有任何希望。

他们觉得，与其心惊胆战地活着，还不如痛痛快快地死去呢！

最后，他们一致决定从悬崖上跳到下面的深水湖去，好结束生命，了却一切烦恼。

他们从湖边路过的时候，湖边的青蛙听到他们的脚步声，吓得噼里啪啦跳到水里逃命去了。

看到那些青蛙一下子没了影，一只头脑还算清醒的兔子向大伙儿叫道：“停下，咱们别犯傻，生活并不那么可怕。你们瞧，还有比我们更胆小的呢！”

shān yáng hé lǘ
山羊和驴

cóng qián yǒu yí ge nóng fū tā jiā li yǎng le yì zhī shān yáng hé yì tóu lǘ píng
从前有一个农夫，他家里养了一只山羊和一头驴。平
shí nóng fū zǒng shì bǎ zuì hǎo chī de liú gěi lǘ zi shān yáng jiàn zhǔ rén duì lǘ zhè me
时，农夫总是把最好吃的留给驴子。山羊见主人对驴这么
hǎo xīn li jì du jí le yú shì tā xiǎng chu le yí ge jì cè yào tiǎo
好，心里忌妒极了。于是，他想出了一个计策，要挑
bō lǘ hé zhǔ rén zhī jiān de guān xi
拨驴和主人之间的关系。

tā duì lǘ zi shuō dào qīn ài de péng you zhǔ rén zhēn shì tài
他对驴子说道：“亲爱的朋友，主人真是太
qī fu nǐ le yí huìr ràng nǐ lā mò yí huìr ràng nǐ tuó
欺负你了！一会儿让你拉磨，一会儿让你驮
nà me chén zhòng de huò wù nǐ shì duō me xīn kǔ wa wǒ
那么沉重的货物，你是多么辛苦哇！我
dōu tì nǐ dǎ bào bù píng ne
都替你打抱不平呢！”

lǘ zi tīng le xīn li yǒu xiē dòng yáo le
驴子听了，心里有些动摇了，

dàn shì tā hái shi jì xù gàn huór shānyáng jiàn lǘ zi bú shàngdàng jiē zhe shuō péng
但是他还是继续干活儿。山羊见驴子不上当，接着说：“朋
you rú guǒ nǐ jiǎ zhuāng bìng dǎo le zhǔ rén yí dìng bú huì zài bī nǐ gàn huór nǐ
友，如果你假装病倒了，主人一定不会再逼你干活儿，你
bú jiù kě yǐ hǎo hāor xiū xi le ma lǘ zi tīng le shānyáng de huà yì tóu shuāi dǎo
不就可以好好儿休息了吗？”驴子听了山羊的话，一头摔倒
zài dì shang bǎ zì jǐ de yì tiáo tuǐ gěi shuāiduàn le nóng fū qǐng lai shòu yī wèi lǘ zi
在地上，把自己的一条腿给摔断了。农夫请来兽医，为驴子
zhì bìng yī shēngshuō yào xiǎng zhì hǎo lǘ zi de tuǐ zhǐ yǒu yí ge bàn fǎ yòngshān
治病。医生说：“要想治好驴子的腿，只有一个办法，用山
yáng de xīn fèi áo tāng gěi lǘ hē yí dìngnéng yào dào bìng chú nóng fū tīng wán yī shēng de
羊的心肺熬汤给驴喝，一定能药到病除。”农夫听完医生的
huà lì kè bǎ shānyáng shā le qǔ chu xīn fèi áo
话，立刻把山羊杀了，取出心肺熬
tāng wèi lǘ zi zhì tuǐ
汤，为驴子治腿。

xiǎng yào shāng hài bié
想要伤害别
rén zuì zhōngshòu
人，最终受
shāng hài de yí
伤害的一
dìng shì nǐ
定是你
zì jǐ
自己。

hú nào de lǘ 胡闹的驴

yì tóu dà gōng lǘ duì tóng bàn shuō wǒ chéng tiān zài cǎo dì shang tiào lái bèng qù de duō méi jìn na xiàn zài wǒ yào dào gāo gāo de fáng zi shang qù tiào wǔ ràng dà jiā dōu kàn dào wǒ yōu měi de wǔ zī
一头大公驴对同伴说：“我成天在草地上跳来蹦去的，多没劲哪，现在，我要到高高的房子上去跳舞，让大家都看到我优美的舞姿。”

yú shì zhè tóu yòu bèn yòu zhòng de dà gōng lǘ xiǎo xīn yì yì de pá shang le qiáng tóu zài cóng qiáng tóu tiào shang le wū dǐng
于是，这头又笨又重的大公驴，小心翼翼地爬上了墙头，再从墙头跳上了屋顶。

wū dǐng de wǎ piàn shang zhǎng zhe lǜ yóu yóu de qīng tái dà gōng lǘ gāng shēn chu tā de dà tí zi tà shang yí kuài wǎ piàn jiù huá le yì jiāo tā xià le yí tiào gǎn jǐn pǎo dào wū dǐng zuì gāo chù
屋顶的瓦片上长着绿油油的青苔。大公驴刚伸出他的大蹄子踏上一块瓦片，就滑了一跤。他吓了一跳，赶紧跑到屋顶最高处。

yí lù shang wǎ piàn quán dōu kā chā kā chā de suì le shēng yīn jīng dòng le zhǔ rén zhǔ rén cóng wū zi li pǎo chu lai kàn dào dà
一路上，瓦片全都“咔嚓咔嚓”地碎了。声音惊动了主人，主人从屋子里跑出来，看到大

gōng lǘ zài wū dǐngshang hú nào qì de hú zi dōu qiào qi lai le tā gǎn jǐn bǎ dà gōng lǘ
公驴在屋顶上胡闹，气得胡子都翘起来了。他赶紧把大公驴
gǎn xia lai shùnshǒu tuō guo yì gēn cū dà de bàng zi dǎ de dà gōng lǘ áo áo jiào
赶下来，顺手拖过一根粗大的棒子，打得大公驴嗷嗷叫。

dà gōng lǘ biān jiào biān shuō zhǔ rén na zuó tiān hóu zi zài shàng miàn cǎi de shí
大公驴边叫边说：“主人哪，昨天猴子在上面踩的时
hou nǐ méi mao dōu xiào wān le wèi shén me jīn tiān yào dǎ wǒ ne
候，你眉毛都笑弯了，为什么今天要打我呢？”

zhǔ rén méi hǎo qì de huí dá nǐ zhè tóu chǔn lǘ hóu zi shì zài shàng miàn biǎo
主人没好气地回答：“你这头蠢驴，猴子是在上面表
yǎn zá jì tā shēn tǐ qīng yíng dòng zuò yōu měi nǐ néng bǐ de shàng tā ma
演杂技，他身体轻盈，动作优美，你能比得上他吗？”

我的读后感
愚蠢的大公驴以为自己和猴子一样呢，跳到屋顶上想炫耀一番，却遭到了毒打。我们应该认清自己与他人的不同之处，这样才能做好事情。

gōng niú hé xiǎo niú
公牛和小牛

gōng niú zài shānshang chī wán le cǎo màn yōu yōu de wǎng niú péng li zǒu tā lù shang yào chuān guo yí dào xiá zhǎi de shān gǔ tā zhàn zài shān gǔ de yì tóu wāi zhe bó zi shǐ jìn xiǎng xī wàng néng xiǎng chū yí ge tōng guò shān gǔ de hǎo bàn fǎ lai
公牛在山上吃完了草，慢悠悠地往牛棚里走。他路上要穿过一道狭窄的山谷。他站在山谷的一头，歪着脖子使劲想，希望能想出一个通过山谷的好办法来。

yì tóu xiǎo niú bèngbèng tiào tiào de zǒu guo lai mōu mōu zhí jiào gōng niú shū shu ràng wǒ xiān guò hǎo ma wǒ hái kě yǐ gěi nǐ dài lù ne
一头小牛蹦蹦跳跳地走过来，哞哞直叫：“公牛叔叔，让我先过好吗？我还可以给你带路呢。”

gōng niú tīng le zhuǎn guò shēn lai hā hā dà xiào shuō xiǎo jiā huo nǐ hái zài nǐ mā ma dù zi li de shí hou wǒ jiù zhī dào zhè tiáo lù le
公牛听了，转过身来哈哈大笑，说：“小家伙，你还在你妈妈肚子里的时候，我就知道这条路了。”

xiǎo niú cán kuì de dī xia le tóu cóng cǐ yǐ hòu zài yě bù gǎn suí biàn zì kuā le
小牛惭愧地低下了头，从此以后，再也不敢随便自夸了。

这个故事告诉我们：为人处世要谦虚谨慎，不能自高自大。

hú li hé cì téng
狐狸和刺藤

jīng guò duō nián de fēng chuī yǔ dǎ lí ba yǐ jīng xiǔ de bù chéng yàng zi le hú li
经过多年的风吹雨打，篱笆已经朽得不成样子了。狐狸
gāng pá shang qu lí ba jiù pā lā yì shēng cóng zhōng jiān zhé duàn le yǎn kàn jiù yào
刚爬上去，篱笆就“啪啦”一声从中间折断了，眼看就要
dǎo tā le
倒塌了。

zhè shí hú li shùn shǒu zhuā zhù le yì
这时，狐狸顺手抓住了一
gēn cì téng bǎ zì jǐ diào zài bàn kōng zhōng jié guǒ
根刺藤，把自己吊在半空中。结果
shǒu zhǎng bèi cì de bù tíng de dī xiě
手掌被刺得不停地滴血。

hú li bào yuàn dào wǒ běn xiǎng
狐狸抱怨道：“我本想
kào nǐ jiù wǒ méi xiǎng dào bèi nǐ hài de
靠你救我，没想到被你害得
gèng cǎn
更惨。”

cì téng xiào dào wǒ běn
刺藤笑道：“我本
lái jiù zhǐ huì kào zài bié rén shēn shang shēng
来就只会靠在别人身上生
zhǎng yòu zěn me néng ràng
长，又怎么能让
bié rén yī kào ne
别人依靠呢？”

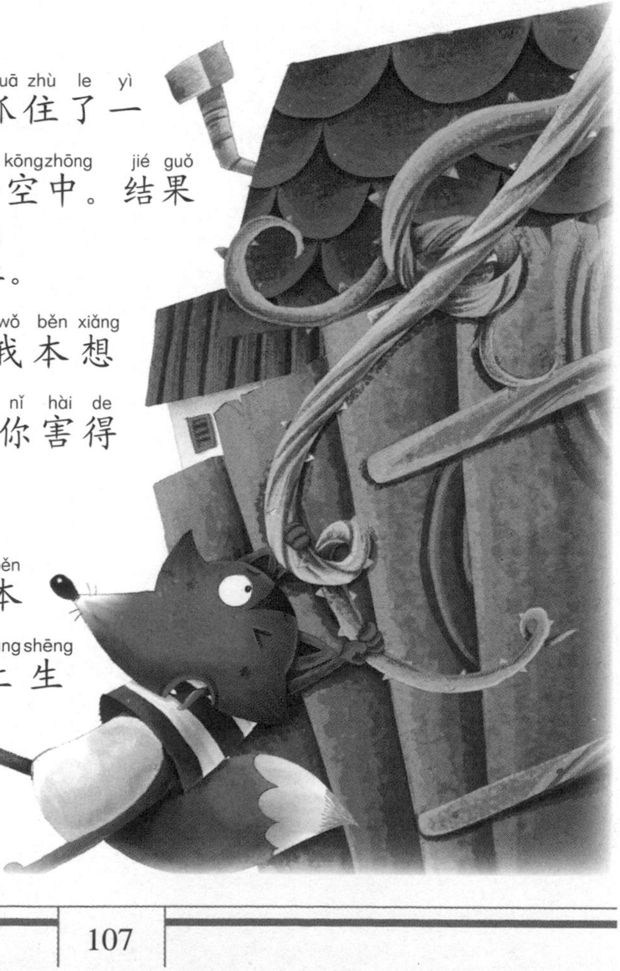

lǘ zi hé tā de yǐng zi
驴子和他的影子

lǘ zi de zhǔ rén gǎn zhe lǘ zi yōu xián de zǒu zài lù shang
驴子的主人赶着驴子悠闲地走在路上。

yí ge xíng rén lán zhù le tā men qīn qiè de shuō nǐ hǎo péng you wǒ zǒu de shí zài tài lèi le qǐng wèn nǐ kě bu kě yǐ ràng wǒ qí shang nǐ de lǘ zi ne lǘ zi de zhǔ rén tóng qíng zhè ge xíng rén yú shì shōu le yì diǎnr zū jīn ràng tā qí shang le lǘ zi
一个行人拦住了他们，亲切地说：“你好，朋友！我走得实在太累了！请问你可不可以让我骑上你的驴子呢？”驴子的主人同情这个行人，于是收了一点ㄦ租金，让他骑上了驴子。

tài yáng huǒ là là de zhì kǎo zhe dà dì lù biān de huā cǎo dōu rè de chuí xia le tóu zǒu le yí huìr tā men jiù tíng xia lai xiū xi qí lǘ de rén duǒ zài le lǘ zi de yǐng zi xia xiǎng yào jiè zhè ge yīn
太阳火辣辣地炙烤着大地，路边的花草都热得垂下了头。走了一会ㄦ，他们就停下来休息。骑驴的人躲在了驴子的影子下，想要借这个阴

liáng duǒ kai tài yáng
凉，躲开太阳。

kě shì lǘ zi de yǐng zi nǎ néng róng xia liǎng ge rén ne yú shì liǎng ge rén wèi le zhè kuài zhē yīn de dì fang jī liè de zhēng chǎo qi lai le tā men dōu rèn wéi zhǐ yǒu zì jǐ cái yǒu zhè ge quán lì shuí yě bù kěn ràng bù
可是，驴子的影子哪能容下两个人呢？于是两个人为了这块遮阴的地方，激烈地争吵起来了，他们都认为只有自己才有这个权利，谁也不肯让步。

lǘ zi de zhǔ rén tài du jiān jué de shuō wǒ zhǐ zū lǘ zi gěi nǐ ér yǐ kě méi yǒu bǎ lǘ zi de yǐng zi yě zū gěi nǐ ya
驴子的主人态度坚决地说：“我只租驴子给你而已，可没有把驴子的影子也租给你呀！”

qí lǘ de rén háo bú shì ruò tā shuō wǒ zū le nǐ de lǘ zi nǐ de lǘ zi bù jǐn bāo kuò lǘ zi de shēn tǐ yě bāo kuò tā de yǐng zi ya
骑驴的人毫不示弱，他说：“我租了你的驴子，你的驴子不仅包括驴子的身体，也包括他的影子呀！”

tā men jiù zhè yàng zhēng chǎo bù xiū hòu lái hái dòng shǒu dǎ le qǐ lái
他们就这样争吵不休，后来还动手打了起来。

tā men hái bù zhī dào dāng tā men dǎ de bù kě kāi jiāo de shí hou lǘ zi yǐ jīng pǎo diào le
他们还不知道，当他们打得不可开交的时候，驴子已经跑掉了！

dǎn xiǎo guǐ yǔ jīn shī
胆小鬼与金狮

yǒu yí ge jiào bù lǐ ěr sī de cūn zi cūn zi li zhù zhe yí ge dǎn xiǎo pà shì ér
有一个叫布里尔斯的村子，村子里住着一个胆小怕事而
yòu fēi cháng tān cái de rén tā de míng zi jiào jí liè mǔ zhè jiā huo jí ài tān xiǎo pián
又非常贪财的人，他的名字叫吉列姆。这家伙极爱贪小便
yi gān bu liǎo dà shì
宜，干不了大事。

yǒu yì tiān jí liè mǔ shàngshān kǎn chái tā kàn dào tài yáng kuài yào luò shān le biàn
有一天，吉列姆上山砍柴，他看到太阳快要落山了，便
jí jí mángmáng de tiāo qi chái wǎng jiā li zǒu qu jí liè mǔ xīn xiǎng rú guǒ zài lù shang
急急忙忙地挑起柴往家里走去。吉列姆心想：如果在路上
néng jiǎn dào diǎnr shén me yě bú suàn bái lái yí tàng yú shì yí lù shang tā jiù
能捡到点儿什么，也不算白来一趟。于是，一路上，他就
biān zǒu biān dōngzhāng xī wàng pàn zhe néngzhǎo dào yì xiē zhí qián de dōng xi
边走边东张西望，盼着能找到一些值钱的东西。

kě shì qí qū de shān lù shangnéng yǒu shén me kě jiǎn de dōng xi jí liè mǔ de bó zi
可是崎岖的山路上能有什么可捡的东西，吉列姆的脖子
dōu lèi suān le yě méi fā xiàn yí yàng zhí de tā jiǎn de dōng xi tā hěn ào nǎo
都累酸了，也没发现一样值得他捡的东西。他很**懊恼**（因后悔
duì zhè cì chū lai kǎn chái de shōu huò hěn bù mǎn yì
而烦恼），对这次出来砍柴的收获很不满意。

dào le shān jiǎo xia jí liè mǔ yǐ jīng bú zài bào shén me xī wàng le tā tǐng zhí
到了山脚下，吉列姆已经不再抱什么希望了，他挺直
le shēn zi shāo wēi zhěng lǐ le yí xià bèi shang de nà dàn chái dà bù xiàng zì jǐ jiā zǒu
了身子，稍微整理了一下背上的那担柴，大步向自己家走
qu zǒu zhe zǒu zhe tū rán jí liè mǔ bèi yí ge dōng xi bàn le yí xià shuāi le yí
去。走着走着，突然，吉列姆被一个东西绊了一下，摔了一
ge dà gēn tou tā pá qi lai yí kàn zhǐ jiàn yì zhī shǎnshǎn fā guāng de jīn shī zi héng
个大跟头。他爬起来一看，只见一只闪闪发光的金狮子横

zài lù de zhōngyāng tā gāo xìng jí le lián máng bǎ chái fàng xia zǐ xì de guān chá qǐ
在路的中央，他高兴极了，连忙把柴放下，仔细地观察起
zhè zhī jīn shī zi lai
这只金狮子来。

jí liè mǔ shēn chu shǒu xiǎng yào bǎ jīn shī zi jiǎn qi lai kě shì gāng shēn dào yí
吉列姆伸出手想要把金狮子捡起来，可是，刚伸到一
bàn tā yòu bǎ shǒu suō le huí lái tā xiǎng zhè kuān kuān de dà lù zhōng jiān zěn me
半，他又把手缩了回来。他想：“这宽宽的大路中间怎么
huì píng bái wú gù de fàng zhe yì zhī jīn shī zi ne nán dào yǒu rén gù yì bǎ tā rēng zài zhè
会平白无故地放着一只金狮子呢？难道有人故意把它扔在这
li děng wǒ jiǎn qi lai shí zài chū lai cháo xiào wǒ xiǎng dào zhèr jí liè mǔ xiàng
里，等我捡起来时，再出来嘲笑我？”想到这儿，吉列姆向
sì xià wàng le wàng yí ge rén yǐng yě méi yǒu
四下望了望，一个人影也没有。

tā yòu rào zhe jīn shī zi zhuàn le liǎng quān zhí lèng lèng de dīng zhe tā zì yán zì
他又绕着金狮子转了两圈，直愣愣地盯着它，自言自
yǔ bù zhī zhè jiàn shì huì bǎ wǒ nòng chéng shén me yàng zi wǒ xīn li luàn de
语：“不知这件事会把我弄成什么样子，我心里乱得
hěn zěn me bàn cái hǎo ne wǒ jì ài cái yòu dǎn xiǎo zhè shì shén
很，怎么办才好呢？我既爱财，又胆小，这是什
me yàng de yùn qi
么样的运气？”

jí liè mǔ hái shi bú fàng xīn tā yòu lái huí zǒu
吉列姆还是不放心，他又来回走
le jǐ bù jiē zhe yòu shuō shì nǎ wèi shén xian
了几步，接着又说：“是哪位神仙
zào chu le zhè zhī jīn shī zi zhè jiàn shì kě ràng wǒ
造出了这只金狮子？这件事可让我
xīn li qǐ le chōng tū wǒ jì ài jīn zi
心里起了冲突。我既爱金子，
yòu pà jīn zi zhì chéng de yě shòu yù
又怕金子制成的野兽；欲
wàng jiào wǒ qù ná tā xìng gé yòu
望叫我去拿它，性格又

叫我躲着它；运气把它给了我，可又不让我拿到手。这个宝贝毫无乐趣可言！”

吉列姆一屁股坐在他的那担柴上，望着金狮子发呆，他独自感叹道：“啊，这是神赐予我的恩惠，可又不是恩惠！”他动着脑筋，想着：“这是怎么回事呢？现在该怎么办呢？想个什么法子呢？”

最后，他毅然地站了起来，坚定地说：“我回去把家里人带来，他们人多，联合起来捉拿它，我呢，远远地观看吧。”

吉列姆心里有了打算，就立刻背起那担柴，放开步子，朝自己家里飞奔而去。等到他带着全家人重新来找时，金狮子早被别人捡走了。

我的读后感
这件事告诉我们：做事情要挂断，想好了就去做。当然，拾金不昧是一种美德，我们要是捡到了东西，一定要归还失主，或交给警察，不能据为已有。

tuó yán de lǘ

驮盐的驴

yí ge dà qíng tiān yì tóu lǘ zài huǒ là là de tài yáng dǐ xia tuó zhe jǐ dài yán pǎo
一个大晴天，一头驴在火辣辣的太阳底下驮着几袋盐跑
zhe tā lèi de mǎn tóu dà hàn pǎo zhe pǎo zhe yǎn qián chū xiàn le yì tiáo qīng chè de xiǎo
着，他累得满头大汗。跑着跑着，眼前出现了一条清澈的小
hé lǘ gāo xìng jí le zǒu dào xiǎo hé biān zhǔn bèi hē jǐ kǒu shuǐ jiě jie kě méi xiǎng
河，驴高兴极了，走到小河边，准备喝几口水解解渴。没想
dào yí bù xiǎo xīn tā huá dào le xiǎo hé li xìng kuī hé shuǐ bù shēn
到，一不小心，他滑到了小河里。幸亏河水不深，
lǘ zi gǎn jǐn pá le qǐ lái
驴子赶紧爬了起来。

dāng tā zhàn qi lai de shí hou tā hū rán jué de zì jǐ bèi shang
当他站起来的时候，他忽然觉得自己背上
de zhòng liàng jiǎn qīng le hěn duō zǒu qi lai yě bù gǎn dào chī lì
的重量减轻了很多，走起来也不感到吃力
le lǘ zi fēi cháng gāo xìng tā xiǎng zhè
了。驴子非常高兴，他想：“这
hé shuǐ yí dìng yǒu mó lì wǒ zài hé li
河水一定有魔力，我在河里
shuāi le yì jiāo shuǐ de mó lì jiù ràng
摔了一跤，水的魔力就让
wǒ bèi shang de yán qīng duō le zhè
我背上的盐轻多了，这
zhēn shì yí ge qí yù guò le
真是一个奇遇。”过了
bù jiǔ lǘ yòu yùn dōng xi le zhè yí cì
不久，驴又运东西了。这一次
tā tuó de shì mián hua mián hua dài zi
他驮的是棉花。棉花袋子

看起来很大很大，可是并不重。驴驮着几大袋，走起来很轻快。

驴再次来到了这条小河边，心想：“虽然我背上的口袋并不重，但如果我沾上那水，不就会更轻了吗？”驴向河中心冲去，摔倒在小河里。他慢吞吞地在小河里待了一会儿，才站了起来。

哎呀，背上的棉花怎么变得这么沉了？太可怕了，几个口袋比上次的盐还沉很多倍，自己沾了河水，也没见长力气，反而驮不动几袋棉花了。

驴挣扎着上了岸，他决定看个究竟。没错呀，路还是那条路，河还是那条河，他左思右想，想不出为什么。

为什么驴驮盐时掉到河里，背上变轻了？为什么驴驮棉花时摔倒在河里，背上变沉了？

狗和牡蛎

有只狗很喜欢吃鸡蛋，小时候总是妈妈把鸡蛋直接给他送到窝里。而他只顾吃，都没注意鸡蛋到底是什么样的。

一天，狗到海边玩耍。海潮退了，岸上留下几个牡蛎。狗觉得饿了，就飞快地吞下一个牡蛎。原来，他把牡蛎当成鸡蛋了。还没吞下第二个，他的肚子就开始痛了，像有个钢钻在里面发动一样。

旁边的小狐狸一个劲儿地笑狗笨，他对狗说：“以后做事，一定要先看清楚、想清楚再做呀！”

两种东西表面看起来很像，其实本质上差很多。所以，我们在做每件事情之前，一定要看清形势、认真思考，想清楚后再去做。

shī zi xuǎn dà chén

狮子选大臣

shī zi shì dòng wù wáng guó li de dà wáng wèi le gèng hǎo de tǒng zhì tā de chén mín
狮子是动物王国里的大王。为了更好地统治他的臣民，
shī zi dà wáng jué dìng tiāo xuǎn yí ge qīn xìn dà chén tā sī lái xiǎng qù jué de láng hé hú
狮子大王决定挑选一个亲信大臣。他思来想去，觉得狼和狐
li dōu shì hěn hǎo de rén xuǎn shí zài nán yǐ qǔ shě zhèngdāng shī zi dà wáng wèi zhè jiàn shì
狸都是很好的人选，实在难以取舍。正当狮子大王为这件事
qing kǔ nǎo de shí hou láng cōng cōng máng máng de gǎn lai duì shī zi shuō zūn jìng de
情苦恼的时候，狼匆匆忙忙地赶来，对狮子说：“尊敬的
dà wáng nín yào tiāo xuǎn qīn xìn dà chén shǒu xiān zhè ge dà chén děi yǒng měng zhè yàng cái néng
大王，您要挑选亲信大臣，首先这个大臣得勇猛，这样才能
hù jià ér hú li zì rán bǐ wǒ chà de yuǎn le
护驾，而狐狸自然比我差得远了！”

xiǎo zi nǐ yě wèi miǎn tài xiǎo qiáo běn dà wáng le ba wǒ hái xū yào nǐ de bǎo
“小子，你也未免太小瞧本大王了吧！我还需要你的保
hù ma shī zi dà wáng shuō wǒ xū yào de shì móu lüè zhè nǐ néng gēn hú li xiāng
护吗？”狮子大王说，“我需要的是谋略，这你能跟狐狸相
bǐ ma láng huī liū liū de zǒu le yú shì shī zi wěi rèn hú li wéi qīn xìn dà chén
比吗？”狼灰溜溜地走了，于是狮子委任狐狸为亲信大臣。

想一想

狼为什么没有得到狮子的重用？狐狸为什么被狮子任命为亲信大臣？

驴和驴夫

有一天，驴夫决定领着驴子去走亲戚。

这天天气晴朗，暖暖的阳光照在人的身上暖烘烘的，让人感到心情愉快。他们走在大路上，驴夫被晴朗的天气感染了，一边走，一边唱起歌来了。歌声回荡在大路两边的林子里，悠扬动听。

这时驴子也被感染了，跟着主人小声地哼哼起来。

说起驴子和主人，他们可是相处得非常好的。自从驴夫把驴子从驴市上买回来以后，驴夫对驴子一直很好。遇到重活、累活，驴夫总是不舍得让驴子自己干，总是和驴子一起分担。每当春天来临时，驴夫总是每天去割最嫩的青草给驴子吃，还经常领驴子一起出去散心，去欣赏美丽的风景。即使是冬天，没有嫩嫩的青草吃，驴夫也总是精心调制驴子爱吃的饲料给驴子吃。天长日久，驴子变得**任性**（不约束自己的行为）起来。他经常会依仗驴夫对自己的疼爱而使起小性子来。

这不，正当驴夫高兴地唱起歌来的时候，驴子突然任性起来，他不想再走大路，想去山那边的树林中吃青草。眼看就要到中午了，驴夫着急起来，便恳求驴子别任性。偏偏这时驴子愈加使起性子来，突然离开大路，向旁边很陡的悬崖奔去。

一看驴子要跳崖，驴夫连忙从背后拉住驴子的尾巴，用尽力气往回拉。驴夫说：“我必须在中午前赶到，串亲戚去晚了是一种不礼貌的行为，你一定要理解我。我们如果现在去山那边的树林里的话，今天晚

shang yě dào bu liǎo qīn qi jiā
上也到不了亲戚家。”

lǘ zi fēi cháng bú lè yì shuō rú guǒ nǐ jīn tiān bù dā ying wǒ jiù tiào
驴子非常不乐意，说：“如果你今天不答应，我就跳
xia qu kàn dào lǘ zi zhè yàng rèn xìng lǘ fū hěn shēng qì tā shuō wǒ ràng
下去！”看到驴子这样任性，驴夫很生气，他说：“我让
nǐ tiào wǒ bú huì zài zǔ lán nǐ bú guò nǐ rú guǒ tiào xia qu de huà nǐ shì yào
你跳，我不会再阻拦你，不过你如果跳下去的话，你是要
fù chū shēngmìng de dài jià de
付出生命的代价的。”

lǘ zi bú yuàn tīng zhǔ rén de quàn gào
驴子不愿听主人的劝告，
shǐ jìn lì qi zhèng tuō le lǘ fū tiào xia
使尽力气挣脱了驴夫，跳下
le xuán yá
了悬崖。

狼和羊群

一位牧人养了一群羊和一条猎狗。那是一条勇敢而又尽职的猎狗，当羊群在山上吃草时，他就在一旁耐心地守护着羊，一点儿也不**松懈**（注意力不集中）。几只凶恶的狼盯上了这群羊，看着这些长得又肥又壮的羊，他们馋得口水哗哗直流。但是，有猎狗保护着羊群，他们哪里有机会下手呢？

“我们一定要想办法除掉猎狗。不然我们永远都吃不到鲜嫩的羊肉！”一只老狼说。

“你说得对极了，大哥！可是要除掉猎狗谈何容易呀！”另一只狼说。

“我自有妙计！”老狼说，“你们就

等着看好戏吧！”

于是，老狼开始行动了。他抓住一个好时机，悄悄地溜进了羊群。他假惺惺地对羊们说：“亲爱的朋友们，这次我是代表狼族来和你们进行和平谈判的。我们之间并没有什么矛盾哪，但是因为那只可恶的猎狗总是在挑拨是非，所以我们才无法做朋友。我们只要齐心协力一起干掉猎狗，那么以后我们就可以做最好的朋友了。”

“那么，怎么才能除掉猎狗呢？”羊们问。

“这还不简单吗？只要你们团结起来，一起用头去顶猎狗的肚子，他必死无疑呀！”老狼说。

“那如果我们除掉了猎狗，你会**兑现**（说话算数）你的承诺吗？”羊们问。

“当然了！”老狼拍着胸脯说，“我以‘狼格’担保，我说话绝对

算数！”

羊们听信了老狼的话，真的合伙害死了猎狗。

羊们还不知道他们的死期已经到了。没有了猎狗的保护，狼怎么可能轻易放过他们呢？那只狡猾的老狼带着几个弟兄闯进了羊群，一口气吃了好几只羊。

“喂，老狼，你怎么能说话不算数呢？你忘了当初的承诺了吗？”羊们生气地责问老狼。

“承诺？我向你们承诺了吗？我承诺过什么呢？你们有证据吗？”老狼耍起了无赖。

眼看自己的亲人惨死在自己的面前，剩下的羊后悔不已，但是世上不卖后悔药。现在后悔，岂不是太晚了吗？

我的读后感
对手的承诺往往无法兑现，而轻信对手的承诺，无疑要冒极大的风险。

驴、乌鸦和狼

从前，有一头驴，他的背上长了一个疮，并且发炎了，脓血不断地流出来，招来了许多苍蝇、虫子。有一天，驴悠闲地在山坡上吃着鲜嫩的青草。一只乌鸦看到他伤口上有许多虫子，高兴极了，就飞到驴背上吃起虫子来。驴痛极了，边跳边喊：“救命啊！救命啊！”

驴的主人看见了，被这情形逗得嘿嘿直笑，却一动不动地待在原地，并不帮忙把乌鸦赶走。一只狼也看到了这有趣的一幕，他想：多么可怜的驴呀！你这样受欺负，你的主人却不管你。于是，他试图接近驴。驴的主人看见狼，立刻不笑了，他从地上迅速拾起鞭子，朝狼狠狠地抽打过去。

“可恶的狼，你在打什么歪主意呢？”

狼说：“真的是太**冤枉**（没有过错却受到指责）了。我可是什么都没想啊。难道连看看热闹也不行吗？”

“当然不行，你马上滚开。不然，我非抽死你不可！”驴的主人说。

狼只好垂头丧气地走开，他边走边说：“今天怎么这么倒霉呢？乌鸦啄得驴直叫唤，而那个可恶的主人，不但不管，还一直笑；我只不过是看了驴一眼，凭什么就要挨鞭子呀！”

我的读后感
故事中，狼想做好事，反而挨了鞭子。看来，人们的一些观念根深蒂固，不会因为一件事就改变对一个人的看法。

gōng jī hé hú li
公鸡和狐狸

líng chén shí fēn nóng jiā de yuàn zi li ān jìng jí le hū rán pā de yì shēng
凌晨时分，农家的院子里安静极了，忽然，“啪”的一声，
jīng xǐng le gōng jī de měi mèng tā lián máng fēi dào lí ba shang qù kàn fā shēng le shén me
惊醒了公鸡的美梦。他连忙飞到篱笆上去看发生了什么：
yuán lái shì yì zhī hú li zài zhè ge yuàn zi zhōu wéi zǒu lái zǒu qù de shí hou bèi nóng fū zhǔn
原来是一只狐狸在这个院子周围走来走去的时候，被农夫准
bèi hǎo de bǔ shòu qì gěi tào zhù le
备好的捕兽器给套住了。

bèi shéng zi láo láo tào zhù de hú li zěn me yě zhèng tuō bù liǎo tā yì biān
被绳子牢牢套住的狐狸怎么也挣脱不了，他一边
guān chá zhōu wéi de dòng jing yì biān fēi kuài de zhuàn dòng zhe yǎn zhū hàn shuǐ bù
观察周围的动静，一边飞快地转动着眼珠，汗水不
tíng de cóng é tou shang liú xia lai zhè shí tā kàn dào le lí ba
停地从额头上流下来。这时，他看到了篱笆
shang de gōng jī liǎn shang lù chu le yì sī jiǎo xiá
上的公鸡，脸上露出了一丝**狡黠**
de wēi xiào dàn shì xiào
（狡猾，奸诈）的微笑，但是笑
róng mǎ shàng bú jiàn le hú li yòu
容马上不见了，狐狸又

露出一副诚恳的表情。狐狸说："公鸡大哥呀，您看我一大早就来给您请安，怎么就被绑住了呢？您看您可不可以帮我把绳子解开，或者，不劳您麻烦，我自己用牙齿把绳子咬断，只要在这之前您别把这件事告诉农夫就可以了。"说着，他的脸上堆起了满满的笑容。

公鸡听了，一句话也没有说。他厌恶地看了狐狸那丑陋的笑容一眼，然后立刻把院子里发生的一切都告诉了农夫。狐狸费尽心机，但最终还是被农夫捉住了。

chī bu dào pú tao de hú li
吃不到葡萄的狐狸

yǒu yì zhī è de fā huāng de hú li kàn jiàn pú tao jià shang chuí xia lai yí chuàn chuàn yǐ
有一只饿得发慌的狐狸看见葡萄架上垂下来一串串已
jīng chéng shú de zǐ pú tao chán de kǒu shuǐ dōu liú chu lai le
经成熟的紫葡萄，馋得口水都流出来了。

yú shì tā shǐ yòng le gè zhǒng gè yàng de bàn fǎ xiǎng chī dào zhè xiē pú tao kě shì bái
于是他使用了各种各样的办法想吃到这些葡萄，可是白
fèi lì qi zěn me yě bù néng gòu dào zhè shí yǒu yí zhèn fēng cóng zhè li chuī guo yí
费力气，怎么也不能够到。这时，有一阵风从这里吹过，一
chuàn chuàn pú tao yě suí fēng yáo le jǐ xià hú li bù yóu de dèng dà yǎn jing jǐn dīng zhe pú
串串葡萄也随风摇了几下，狐狸不由得瞪大眼睛紧盯着葡
tao jià xī wàng néng yǒu yì xiē shú tòu le de pú tao bèi fēng chuī xia lai dàn shì pú tao suí
萄架，希望能有一些熟透了的葡萄被风吹下来。但是葡萄随
fēng yáo le jǐ xià zhī hòu réng wěn wen dāng dāng de guà zài pú tao jià shang yì kē yě méi yǒu diào
风摇了几下之后仍稳稳当当地挂在葡萄架上，一颗也没有掉
xia lai zhè xià hú li de xī wàng chè dǐ luò kōng le
下来。这下狐狸的希望彻底落空了。

zuì hòu tā zhǐ hǎo zhuǎn shēn lí qu dàn zì wǒ ān wèi de shuō jí shǐ chī
最后，他只好转身离去，但自我安慰地说：“即使吃
dào le yě yí dìng bú huì xiàng wǒ dāng chū xiǎng de nà yàng zhè xiē pú tao kěn dìng shì suān
到了，也一定不会像我当初想的那样。这些葡萄肯定是酸
de tā men hái méi yǒu chéng shú ne
的，它们还没有成熟呢。”

yīng wǔ hé māo
鹦鹉和猫

yí ge nuǎn yáng yáng de xià wǔ xiǎo māo tǎng zài bì lú biān de dì tǎn shang
一个暖洋洋的下午，小猫躺在壁炉边的地毯上

shuì de shí fēn xiāng tián zhèng zuò zhe dǎi lǎo shǔ de hǎo mèng tū rán tā bèi
睡得十分香甜，正做着逮老鼠的好梦。突然，他被

yì zhǒng qí guài de jiān jiào shēng chǎo xǐng le xiǎo māo hěn shēng
一种奇怪的尖叫声吵醒了，小猫很生

qì yuán lái shì yì zhī xiǎo yīng wǔ tā gāng gāng bèi zhǔ
气。原来是一只小鹦鹉，他刚刚被主

rén dài hui lai zhǔ rén hěn xǐ huan tā ràng tā zài jiā li
人带回来，主人很喜欢他，让他在家里

suí biàn xī xì wán shuǎ xiǎo yīng wǔ zài
随便嬉戏玩耍。小鹦鹉在

jiā li fēi lái fēi qù wú jū wú
家里飞来飞去，无拘无

shù tā zì yóu de jiào zhe
束。他自由地叫着，

kāi xīn jí le
开心极了。

xiǎo māo kàn jiàn yīng wǔ zhè me dé yì
小猫看见鹦鹉这么得意，

xīn li hěn bù gāo xìng yú shì chì zé qi
心里很不高兴，于是斥责起

lai nǐ zhè méi lǐ mào de jiā
来：“你这没礼貌的家

huo cái gāng gāng lái
伙，才刚刚来

zhè li jiù gǎn dà
这里就敢大

hǎn dà jiào wǒ cóng xiǎo zài zhè li zhǎng dà dōu bù gǎn luàn jiào zhǐ yào wǒ qīng qīng
喊大叫！我从小在这里长大，都不敢乱叫。只要我轻轻
miāo miāo de jiào liǎng shēng tā men jiù huì bǎ wǒ dǎ de sì chù luàn pǎo luàn tiào
‘喵喵’地叫两声，他们就会把我打得四处乱跑乱跳。”

xiǎo yīng wǔ bù yǐ wéi rán yí fù shèng qì líng rén
小鹦鹉不以为然，一副**盛气凌人**（以骄横傲慢的气势压
de yàng zi wèi péng you nǐ zhù zuǐ yào zhī dào wǒ men de shēng yīn shì
人）的样子：“喂，朋友，你住嘴！要知道我们的声音是
bù tóng de wǒ de shēng yīn néng ràng zhǔ rén gāo xìng ér nǐ de shēng yīn què zhǐ néng ràng
不同的！我的声音能让主人高兴，而你的声音却只能让
zhǔ rén tǎo yàn na
主人讨厌哪！”

我的读后感
自己有再多优点，也不能得意忘形，更不能从自己的立场去衡量、评论别人。

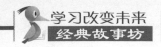

lǘ hé guō guo
驴和蝈蝈

shēn lán sè de yè mù jiàng le xià lái xiǎo xīng xing tiáo pí de zhǎ zhe yǎn jing yuè liang
深蓝色的夜幕降了下来，小星星调皮地眨着眼睛。月亮
gū niang dài zhe báo báo de miàn shā wēn róu de wàng zhe cǎo dì shang kě ài de xiǎo guō guo
姑娘戴着薄薄的面纱，温柔地望着草地上可爱的小蝈蝈。
guō guo men zhèng pā zài cǎo jiān shang yú kuài de jù huì ne zài zhè
蝈蝈们正趴在草尖上愉快地聚会呢。在这
měi miào de yè wǎn tā men jìn qíng de gē chàng zhe
美妙的夜晚，他们尽情地歌唱着。

xiǎo guō guo de sǎng yīn hěn hǎo tīng yuè liang gū niang
小蝈蝈的嗓音很好听，月亮姑娘
tīng de rù le mí cǎo dì shang suǒ yǒu de xiǎo dòng wù dōu
听得入了迷，草地上所有的小动物都
pǎo guo lai xīn shǎng jiǎn zhí tài měi miào le xiǎo lǘ
跑过来欣赏。“简直太美妙了！”小驴
rěn bu zhù hǎn le chū lái yào shi wǒ yě néng
忍不住喊了出来，“要是我也能
chàng chu zhè yàng dòng tīng de gē gāi duō
唱出这样动听的歌该多

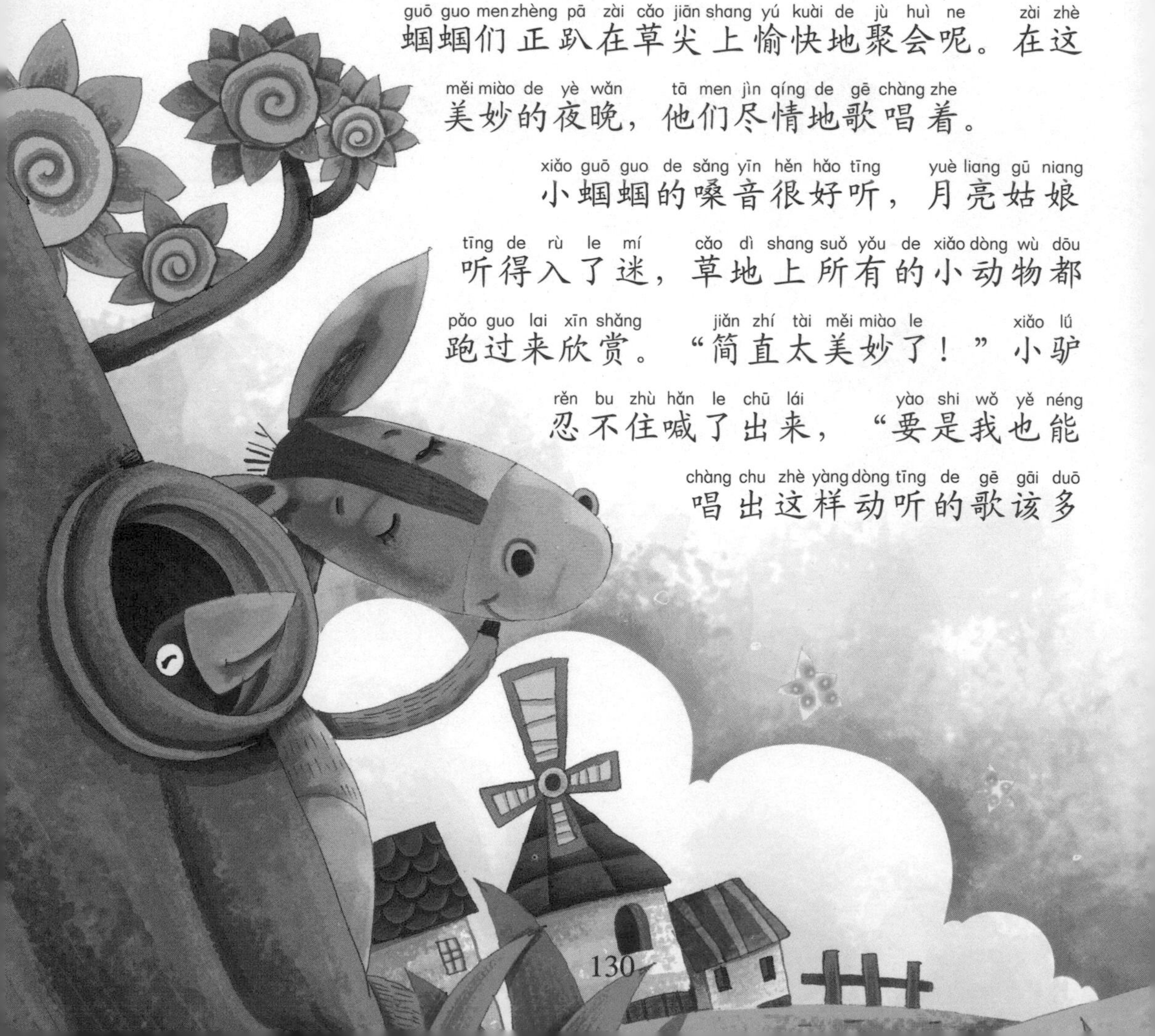

好哇！”

小驴非常向往这种境界，心里暗暗猜想着：“这一定和食物有关系，我是不是该打听一下他们平时吃的是什么呢？”

终于，小驴悄悄地打听到小蝈蝈从来都是以露水为生的。“啊，怪不得呢！他们吃的东西就多么不俗哇！”

于是，小驴下定决心从今以后只吃露水。可是没过几天，他就饿死了，更不用说拥有美妙的歌喉了。

野驴和狮子

yě lǘ hé shī zi

传说野驴以前是吃肉的。野驴常年在森林里奔跑觅食，还要躲避凶猛的野兽，因而速度练得很快，连狮子也别想**轻易**（形容很容易）追上他。一天，狮子对野驴说：“喂，你速度快，我力气大，咱们联合起来，就天下无敌了。干脆我们一起捕食吧！”

野驴想了想，觉得有道理，而且和狮子合作多威风啊，

yú shì jiù dā ying le
于是就答应了。

guǒ rán tā men dì yī tiān jiù bǔ huò le hǎo duō liè wù
果然，他们第一天就捕获了好多猎物。

shī zi bǎ liè wù fēn chéng sān fèn duì yě lǘ shuō dào wǒ shì hé zuò zhě zhī
狮子把猎物分成三份，对野驴说道：“我是合作者之
yī yīng gāi ná yí fèn
一，应该拿一份。”

dāng rán yě lǘ dá dào tā gāo xìng de xiǎng nán dào shèng xia de liǎng fèn
“当然。”野驴答道。他高兴地想：“难道剩下的两份
dōu guī wǒ le
都归我了？”

zhǐ jiàn shī zi yòu ná le yí fèn shuō dào wǒ shì sēn lín zhī wáng yīng gāi zài
只见狮子又拿了一份，说道：“我是森林之王，应该再
ná yí fèn
拿一份。”

yě lǘ hěn bù gāo xìng dàn yòu bù gǎn fǎn duì
野驴很不高兴，但又不敢反对。

zhǐ jiàn shī zi ná qi dì sān fèn hā hā dà xiào qi lai qīn ài de huǒ bàn tīng
只见狮子拿起第三份，哈哈大笑起来：“亲爱的伙伴，听
wǒ shuō nǐ rú guǒ bù xiǎng sǐ de huà jiù gǎn kuài gěi wǒ gǔn ba
我说，你如果不想死的话，就赶快给我滚吧！”

yě lǘ huī liū liū de pǎo le
野驴灰溜溜地跑了。

nán dào qiáng zhě yǒngyuǎn dōu yǒu dào li ma
难道强者永远都有道理吗？

想一想

野驴为什么同意和狮子合作呢？狮子为什么占有了所有和野驴一起捕获的猎物？

驴和马

一个商人有一头驴和一匹马，马是他骑的，驴是运货的。有一天，他去运货，那天货物特别多，驴运不了，他就把多余的货物放到马身上一点儿。马想：我是被骑的，现在却让我拉货，真是倒霉。但是他不敢跟主人说，怕主人用鞭子打他。他就对驴说：“你瞧你，就那点儿力气，把活都压在我的身上。”

驴那天正好生病了，驴说：“马大哥，我今天不舒服，这些我也驮不动，你能不能替我再分担些？”马不乐意地说：“我才不愿意呢，我本来就不是运货的，运这些已经不少了。”

驴一路**病恹恹**（因生病而很虚弱的样子）地走着，马一路抱怨着。走着走着，驴实在走不动了，他对马说：“马大哥，我实在驮不动了，你帮帮我行吗？”马一听，马上说：“我才不管你呢！别装病了，我是不会帮你驮的。”

驴又走了一会儿，竟然倒下死了。

驴死了以后，商人就把驴身上的货物都堆到马的身上去了。这时，马很后悔：“刚才我要是帮驴分担一点儿就好了，他活着，我们两个一起驮，就不会这么重了。”就在这个时候，商人也走累了，便骑到了马身上，马更惨了。

我的读后感
自私的人总是为自己考虑，不肯帮助别人。其实，帮助别人，有时就是在帮助自己。

cāng ying hé fēi é 苍蝇和飞蛾

cān zhuō shang yǒu yí guàn xīn xian de mì táng piāo chu yòu rén de xiāng wèi xiǎo cāng ying
餐桌上有一罐新鲜的蜜糖，飘出诱人的香味。小苍蝇
xīn xǐ de jiàng luò zài páng biān kě zhēn shì ge hǎo dōng xi ya
欣喜地降落在旁边：“可真是个好东西呀！”

xiǎo cāng ying shùn zhe guàn biān kāi shǐ chī shì jiè shang bú huì yǒu bǐ zhè li gèng měi
小苍蝇顺着罐边开始吃，“世界上不会有比这里更美
wèi de dōng xi la
味的东西啦！”

tā yuè chī yuè huān bù zhī bù jué de lí kāi le
他越吃越欢，不知不觉地离开了
guàn biān yí bù xiǎo xīn diào dào le mì táng guàn li xiǎo
罐边，一不小心掉到了蜜糖罐里。小
cāng ying pà jí le nǔ lì xiǎng fēi
苍蝇怕极了，努力想飞
chu qu kě shì tā de tuǐ hé chì
出去，可是他的腿和翅
bǎng dōu bèi mì táng láo láo de
膀都被蜜糖牢牢地
zhān zhe zài yě bù néng
粘着，再也不能
dòng le
动了。

zhèng zài zhè shí
正在这时
hou xiǎo fēi é kàn
候，小飞蛾看

jiàn xiǎo cāng ying zài kǔ kǔ de zhēng zhá xìng zāi lè huò qi
见小苍蝇在苦苦地挣扎，**幸灾乐祸**（对别人遭遇灾祸感到高兴）起

lai nǐ zhè bèn dàn zěn me chán chéng zhè yàng ne wèi kǒu yě tài dà le ba
来：“你这笨蛋！怎么馋成这样呢？胃口也太大了吧！”

wǎn shang cān zhuō shang de là zhú diǎn rán le
晚上，餐桌上的蜡烛点燃了。

zhǐ jiàn xiǎo fēi é xīng fèn de pū le guò qù wéi zhe là zhú zhuàn le yì quān yòu yì
只见小飞蛾兴奋地扑了过去，围着蜡烛转了一圈又一

quān tā hūn tóu hūn nǎo de yàng zi quán rán bù zhī zì jǐ lí huǒ miáo yuè lái yuè jìn
圈。他昏头昏脑的样子，全然不知自己离火苗越来越近。

xiǎo cāng ying xià de jiào chu le shēng kě fēi é zhí jiē chōng dào le huǒ miáo li
小苍蝇吓得叫出了声。可飞蛾直接冲到了火苗里。

tiān yuán lái nǐ yě shì ge bèn dàn nǐ pī píng wǒ tài tān chī mì táng kě nǐ
“天，原来你也是个笨蛋！你批评我太贪吃蜜糖，可你

zì jǐ què qù wán huǒ li
自己却去玩火哩！”

mǎi lǘ
买 驴

cóng qián yǒu ge nóng fū zhòng le yí dà piàn zhuāng jia qiū tiān dào le zhuāng jia kào
从前，有个农夫种了一大片庄稼。秋天到了，庄稼靠
tā yí ge rén hé jiā li de jǐ tóu lǘ zěn me shōu gē de wán ne yú shì tā zhǔn bèi
他一个人和家里的几头驴怎么收割得完呢？于是，他准备
dào jí shì shang zài mǎi yì tóu lǘ
到集市上再买一头驴。

dào le jí shì shang yí ge qiān lǘ de rén xiào xī xī de xiàng tā zǒu lai wèn
到了集市上，一个牵驴的人笑嘻嘻地向他走来，问：
péng you nǐ xiǎng mǎi tóu lǘ ba duì nóng fū huí dá
“朋友，你想买头驴吧？”“对！”农夫回答。

kàn wǒ zhè tóu lǘ kě shì yì tóu shàng hǎo de lǘ ya zhǎng de yòu dà yòu féi
“看，我这头驴可是一头上好的驴呀，长得又大又肥，
lì qi yě dà zhe ne tā kě shì gàn huó de hǎo bāngshou wa mài lǘ rén xiào róng mǎn miàn
力气也大着呢！他可是干活的好帮手哇。”卖驴人笑容满面
de kuā zhe zì jǐ de lǘ kàn shàng qu hái xíng bú guò tā dào dǐ shì tóu hǎo lǘ
地夸着自己的驴。“看上去还行。不过，他到底是头好驴，
hái shi tóu lǎn lǘ guāng píng nǐ de yí miàn zhī cí kě bù xíng wǒ děi qiān hui qu shì shi cái
还是头懒驴，光凭你的一面之词可不行，我得牵回去试试才
zhī dào nóng fū shuō méi wèn tí mài lǘ rén dì guo jiāngsheng shuō wǒ
知道！”农夫说。“没问题！”卖驴人递过缰绳，说：“我
men zǒu ba
们走吧！”

tā men èr rén yì qǐ bǎ lǘ qiān hui jiā nóng fū bǎ xīn mǎi de lǘ qiān dào le jiā zhōng
他们二人一起把驴牵回家。农夫把新买的驴牵到了家中
yuán yǒu de lǘ zhōng jiān rán hòu fàng kai jiāngsheng kàn tā de fǎn yìng zhè tóu lǘ bìng bù jū
原有的驴中间，然后放开缰绳，看他的反应。这头驴并不拘
shù yí huìr hé zhè tóu lǘ pèngpeng tóu yí huìr hé nà tóu lǘ pèngpeng ěr duo zuì
束，一会儿和这头驴碰碰头，一会儿和那头驴碰碰耳朵。最

后，他和一头好吃懒做的驴待在一起，亲热地成了朋友。

农夫走过去牵起缰绳，把这头驴还给了卖驴人，并且坚定地说：“对不起，这头驴我不能买！”

“这是为什么呢？你根本还没试过他，怎么知道他好不好呢？”卖驴人疑惑地说。

农夫说：“不需要再试了，他选的朋友，应该和他自己性格相投。一头勤快的驴，怎么可能会和一头懒驴成为朋友呢？”

想一想

农夫为什么把驴退还给卖驴人？这个故事给你带来怎样的启示？

láng yǔ gǒu dǎ zhàng
狼与狗打仗

láng dà wáng yì zhí jí dù gǒu jiāng jūn de cái néng xīn li hěn bù fú qì zhōng yú
狼大王一直嫉妒狗将军的才能，心里很不服气。终于
yǒu yì tiān láng dà wáng shuài lǐng láng zú de yǒng shì zhǔ dòng xiàng gǒu jiāng jūn xuān zhàn kě
有一天，狼大王率领狼族的勇士，主动向狗将军宣战。可
shì bù zhī dào wèi shén me gǒu jiāng jūn jiù shì bù dǎ kāi chéng mén qián qù hé láng jiāo
是，不知道为什么，狗将军就是不打开城门，前去和狼交
shǒu láng dà wáng děng de bú nài fán le tā kāi kǒu rǎng qi lai wèi gǒu jiāng jūn
手。狼大王等得不耐烦了。他开口嚷起来：“喂，狗将军，
wǒ kàn nǐ shì ge dǎn xiǎo guǐ ba gēn běn méi shén me běn shi nǐ shì hài pà shū ér bù gǎn
我看你是个胆小鬼吧，根本没什么本事！你是害怕输而不敢
hé wǒ men láng zú bǐ shi ba gǒu jiāng jūn hái shi bù lǐ tā láng dé
和我们狼族比试吧？”狗将军还是不理他。狼得
cùn jìn chǐ le jì xù wǔ rǔ gǒu jiāng jūn hēi dǎn xiǎo
寸进尺了，继续侮辱狗将军：“嘿，胆小
guǐ gǎn kuài chū lai hé wǒ jué yī shèng fù ba
鬼，赶快出来和我决一胜负吧，
nán zǐ hàn dà zhàng fu zěn me néng zuò suō tóu wū
男子汉大丈夫，怎么能做缩头乌
guī ne
龟呢？”

gǒu jiāng jūn zhōng yú kāi kǒu le tā shuō nǐ zhī dào wǒ wèi shén me chí chí bù
狗将军终于开口了，他说：“你知道我为什么迟迟不
kěn chū bīng ma láng dà wáng shuō shuí bù zhī dào nǐ shì ge tān shēng pà sǐ zhī bèi
肯出兵吗？”狼大王说：“谁不知道你是个贪生怕死之辈
ne gǒu jiāng jūn yáo yao tóu huí dá shuō cháng yán shuō zhī jǐ zhī bǐ
呢？”狗将军摇摇头，回答说：“常言说：‘知己知彼，
bǎi zhàn bǎi shèng yào xiǎng qǔ dé zhàn zhēng de shèng lì jiù bì xū shì xiān zuò hǎo chōng fèn
百战百胜。’要想取得战争的胜利，就必须事先作好充分
de zhǔn bèi nǐ kàn nǐ men láng zú bù jǐn zhǒng lèi xiāng tóng jiù lián máo sè yě jī hū
的准备。你看，你们狼族不仅种类相同，就连毛色也几乎
xiāng tóng ér wǒ men gǒu zú de máo wǔ yán liù sè yǒu de hēi yǒu de hóng hái yǒu de
相同。而我们狗族的毛五颜六色，有的黑，有的红，还有的
bái ér qiě wǒ men de chén mín men xìng gé yě bù
白……而且我们的臣民们性格也不
tóng shuài lǐng zhè yàng yì zhī xīn bù qí de
同。率领这样一支心不齐的
duì wu wǒ zěn me néng qǔ shèng ne yòu zěn me
队伍，我怎么能取胜呢？又怎么
néng dǎ kāi chéng mén yíng zhàn ne
能打开城门迎战呢？”

hè ěr mò sī hé qiáo fū
赫耳墨斯和樵夫

dà hé biān yí ge qiáo fū dūn zài xié xié de shù gàn shang yòng lì lūn zhe fǔ tou
大河边，一个樵夫蹲在斜斜的树干上，用力抡着斧头。
tū rán shǒu yì huá fǔ zi pū tōng yì shēng diào jin le xiōng yǒng de shuǐ liú
突然，手一滑，斧子“扑通”一声，掉进了汹涌的水流
zhōng qiáo fū zhǐ hǎo huá xia le shù zuò zài shí tou shang shāng xīn de diào yǎn lèi
中。樵夫只好滑下了树，坐在石头上，伤心地掉眼泪。

hè ěr mò sī cóng shuǐ biān zǒu guo lai wèn nǐ kū shén me qiáo fū cā gān
赫耳墨斯从水边走过来，问：“你哭什么？”樵夫擦干
yǎn lèi huí dá wǒ de fǔ tou zài yě zhǎo bu huí lái le
眼泪回答：“我的斧头再也找不回来了。”

hè ěr mò sī tiào jin hé li lāo qi yì bǎ
赫耳墨斯跳进河里，捞起一把
jīn guāng shǎn shǎn de fǔ zi qiáo fū yáo yao tóu hè ěr
金光闪闪的斧子，樵夫摇摇头。赫耳
mò sī yòu mō dào yì bǎ yín fǔ zi qiáo fū shī
墨斯又摸到一把银斧子，樵夫失

wàng de shuō zhè liǎng bǎ dōu bú shì wǒ de zuì hòu hè ěr mò sī wèi tā zhǎo dào le
望地说：“这两把都不是我的。”最后，赫耳墨斯为他找到了
nà bǎ dài mù bǐng de tiě fǔ zi qiáo fū jiē guo qu shēnshēn de gǎn xiè le tā kāi xīn de
那把带木柄的铁斧子。樵夫接过去，深深地感谢了他，开心地
shuō jiù shì zhè bǎ jiù shì zhè bǎ hè ěr mò sī jiàn tā shí fēn chéng shi biàn bǎ
说：“就是这把！就是这把！”赫耳墨斯见他十分诚实，便把
sān bǎ fǔ tou dōu sòng gěi le tā
三把斧头都送给了他。

qiáo fū de lín jū tīng shuō le zhè shì shí fēn yǎn hóng tā qiāo qiāo de qù le hé
樵夫的邻居听说了这事，十分眼红。他悄悄地去了河
biān zhuāng zuò kǎn chái de yàng zi yě bǎ fǔ zi diào le xià qù hè ěr mò sī yòu yí
边，装作砍柴的样子，也把斧子掉了下去。赫耳墨斯又一
cì lù guò lāo qi le jīn fǔ zi tā yì bǎ zhuā guo qu bào zài huái li shuō
次路过，捞起了金斧子。他一把抓过去抱在怀里，说：
zhè shì wǒ de hè ěr mò sī shēng qì le shuō nǐ tài bù chéng shi
“这是我的！”赫耳墨斯生气了，说：“你太不诚实
le shuō wán shōu hui le jīn fǔ zi shēng qì de zǒu le jié guǒ nà ge
了。”说完，收回了金斧子，生气地走了。结果，那个
bù chéng shi de rén shén me yě méi yǒu dé dào
不诚实的人，什么也没有得到。

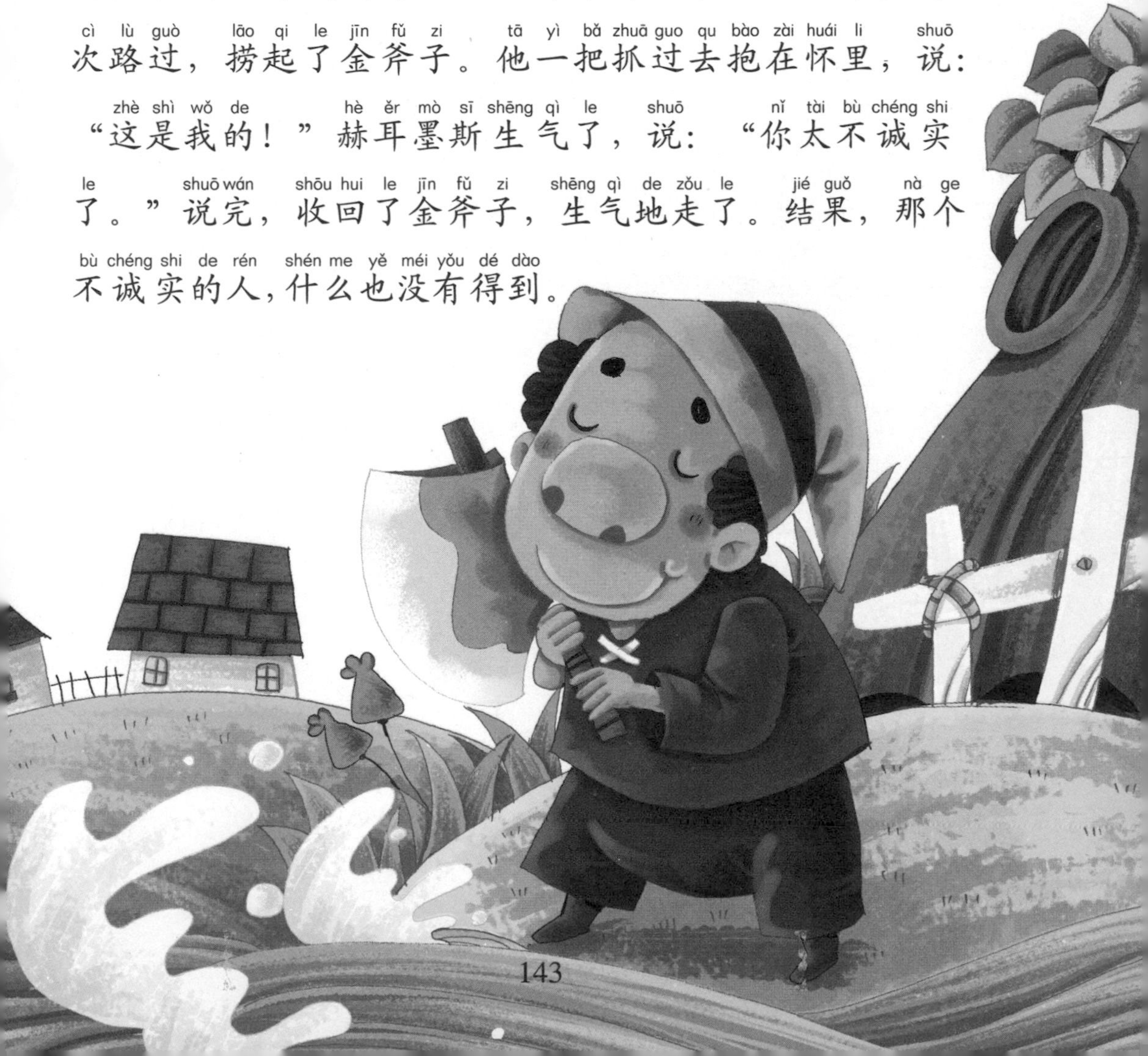

狗、公鸡和狐狸

天蓝水清的一天，狗和公鸡这对好朋友决定一起去郊游。他们一路上有说有笑，不知不觉就走到了森林里面。天渐渐黑了，皎洁的月亮爬上了树梢，这对好朋友也累了，于是，他们准备在森林里过夜。公鸡飞到一棵大树上面睡觉，狗就睡在了那棵树下的树洞里面。

太阳公公露出了笑脸，公鸡也从美丽的梦境中醒来。他像平时一样，在树梢上“喔喔”地叫了几声，这声音传到了狐狸的耳朵中，他好像听到美味的早餐在呼唤饥饿的自己。他立刻冲到大树下面，满脸诚恳地说：“天哪，这么洪亮的声音是您发出的吗？我是多么想结识这声音的主人哪！”公鸡不相信狐狸的话，他想了想，对狐狸说：“先生，你要认识我很容易呀，但是，我要请你先帮我个忙，你得绕到我下面的树洞里叫醒我那守夜的人，他能开门让你进来呀。”

hú li tīng dào gōng jī zhè yàng shuō gāo xìng de yí bèng sān chǐ gāo háo bù yóu yù de
狐狸听到公鸡这样说，高兴得一蹦三尺高，毫不犹豫地

zǒu xiàng shù dòng zhè shí shǒu zài shù dòng li de gǒu lì kè tiào le chū lái yí xià zi zhuā
走向树洞。这时，守在树洞里的狗立刻跳了出来，一下子抓

zhù le hú li bǎ tā sī chéng le suì piàn
住了狐狸，把他撕成了碎片。

公鸡靠自己的聪明和狗的帮助打败了狐狸。聪明的人总能临危不乱，巧妙而轻易地击败敌人。

驴、公鸡和狮子

在一个堆着麦秆的农家院里，住着驴和公鸡。

一天，一头饿坏了的狮子走来，他看见了驴子，迫不及待地向驴子扑去，公鸡一看驴子遇到了危险，就惊恐地叫了起来。

“喔——喔——”公鸡一叫，他吓得飞也似的跑了。（传说狮子特别害怕公鸡的叫声。）

驴子看到狮子逃跑时那狼狈的样子，心里高兴极了，他想：“哈哈，都说狮子非常可怕，经常会欺负弱小的动物，今天才知道，他原来这么胆小。公鸡一叫，他就吓破胆了！他真是个胆小鬼。”

想到这儿，驴子就鼓起勇气去追赶狮子，他想从背后攻击狮子。他们跑出了院子，跑出了村庄。

驴子追赶狮子到了村外的小树林，这时已经听不到公鸡的叫声了。

这时，狮子再也不害怕了，他转过身来，朝驴子扑去。可怜的驴子，很快就被狮子撕碎了。

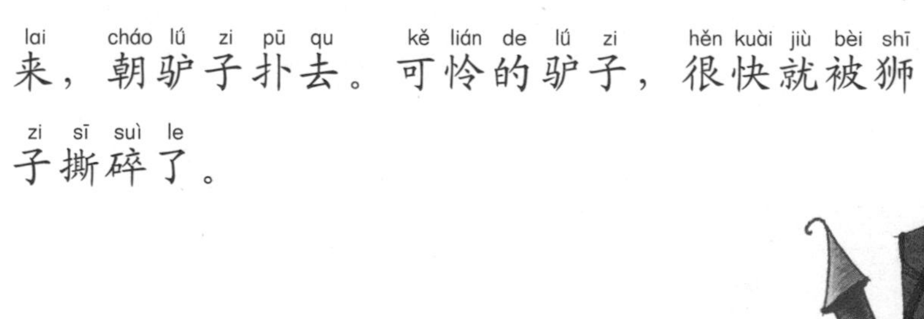

jīn qiāng yú hé hǎi tún
金枪鱼和海豚

hǎi dǐ shì jiè li jǐng xiàng qiān qí bǎi guài shuǐ cǎo yáo dòng zhe róu ruǎn de shēn zi
海底世界里，景象千奇百怪，水草摇动着柔软的身子，
tiào qi le qīng yíng de wǔ
跳起了轻盈的舞。

yì tiáo měi lì de jīn qiāng yú bèi shēn hòu de dà hǎi tún jǐn jǐn de zhuī gǎn zhe tā
一条美丽的金枪鱼，被身后的大海豚紧紧地追赶着。她
xià huài le yòng ruò xiǎo de shuāng qí pīn mìng huá shuǐ tuī kai mì mì de shuǐ cǎo bú gù
吓坏了，用弱小的双鳍拼命划水，推开密密的水草，不顾
yí qiè de wǎng qián yóu
一切地往前游。

kě hǎi tún bǐ jīn qiāng yú yóu de hái kuài jiàn jiàn de kuài
可海豚比金枪鱼游得还快，渐渐地，快
yào gǎn shang tā le tā men lí hǎi àn yuè lái
要赶上她了。他们离海岸越来
yuè jìn shuǐ yě yuè lái yuè qiǎn tū rán
越近，水也越来越浅。突然，
hǎi tún yì tóu zhuàng le shàng qù
海豚一头撞了上去，
bǎ jīn qiāng yú zhuàng shang le shā
把金枪鱼撞上了沙
tān ér tā zì jǐ yīn wei
滩，而他自己，因为
yòng de lì qi tài dà yě
用的力气太大，也
suí zhe jīn qiāng yú chōng shang
随着金枪鱼冲上
le shā tān
了沙滩。

liǎng ge kě lián de jiā huo zài gān zào de shā dì shang fān lái gǔn qù de zhēng zhá
两个可怜的家伙，在干燥的沙地上翻来滚去地挣扎，
bú duàn de chuǎn zhe cū qì zuì hòu tā men dōu yǎn yǎn yì xī
不断地喘着粗气。最后，他们都**奄奄一息**（快要死亡的样子）
le wú kě nài hé de wàng zhe tiān kōng kuānguǎng de tiān kōngxiàng hǎi shuǐ yí yàngshēn lán
了，无可奈何地望着天空。宽广的天空像海水一样深蓝，
tā men duō xiǎng tiào jin qu zì yóu zì zài de yóu yǒng a
他们多想跳进去，自由自在地游泳啊！

jīn qiāng yú wàng zhe dǎo zài páng biān de hǎi tún shuō wǒ yào sǐ le shì nǐ
金枪鱼望着倒在旁边的海豚，说：“我要死了，是你
bǎ wǒ zhuī shang shā tān de ér xiàn zài nǐ yě yào sǐ le
把我追上沙滩的，而现在你也要死了。”

我的读后感
有些事情要适可而止，不要太过分。否则，在给别人带来不幸的同时，也会给自己带来不幸。

běi fēng hé tài yáng
北风和太阳

hán dōng de yì tiān běi fēng xiàng chuī pào pao táng yí yàng zài tiān shàng chuī chu yí zhèn zhèn lěng fēng tā wán de tài gāo xìng le yí bù xiǎo xīn zhuàng dào le tài yáng shēn shang
寒冬的一天，北风像吹泡泡糖一样，在天上吹出一阵阵冷风。他玩得太高兴了，一不小心撞到了太阳身上。

tā men chǎo le qǐ lái shuí yě bú ràng shuí dōu shuō zì jǐ shì zuì lì hai de
他们吵了起来，谁也不让谁，都说自己是最厉害的。

zhè shí lù shang zǒu guo lai yí ge xíng rén běi fēng shuō wǒ men lái bǐ zhè
这时，路上走过来一个行人，北风说：“我们来比这

ge kàn shuí néng ràng tā bǎ yī fu tuō xia zěn me yàng tài yáng dī zhe tóu chén sī le
个，看谁能让他把衣服脱下，怎么样？” 太阳低着头沉思了

yí huìr tóng yì le
一会儿，同意了。

yú shì běi fēng shēn shēn de xī le yì kǒu qì bǎ sāi bāng zi gǔ de yuán yuán de
于是，北风深深地吸了一口气，把腮帮子鼓得圆圆的，

rán hòu yòng jìn quán shēn lì qi duì zhe dì miàn sōu sōu de chuī le guò qù xiǎng
然后，用尽全身力气，对着地面，“嗖嗖”地吹了过去，想

bǎ xíng rén de yī fu guā zǒu
把行人的衣服刮走。

tiān qì biàn de gèng lěng le nà rén pà lěng gǎn
天气变得更冷了，那人怕冷，赶

jǐn bǎ yī fu guǒ de jǐn jǐn de bù guǎn běi fēng
紧把衣服裹得紧紧的，不管北风

zěn me chuī nà rén jiù shì bù sōng shǒu běi
怎么吹，那人就是不松手。北

fēng xiàng ge xiè le qì de pí qiú méi bàn
风像个泄了气的皮球，没办

fǎ le
法了。

tài yáng fā chū tā suǒ yǒu de guāng hé rè
太阳发出他所有的光和热，

bǎ dà dì zhào de nuǎn yáng yáng de hǎo xiàng chūn tiān lái
把大地照得暖洋洋的，好像春天来

le shì de xuě huà le shù fā yá le xíng rén rè de zhí
了似的。雪化了，树发芽了，行人热得直

liú hàn gān cuì bǎ yī fu tuō xia lai tiào dào hé li xiǎng shòu
流汗，干脆把衣服脱下来，跳到河里享受

qīng liáng qù le
清凉去了。

shī zi hé yě zhū

狮子和野猪

tài yáng sì hū yào chéng fá dà dì hěn hěn de fàng chu tā de guāng hé rè dà dì
太阳似乎要惩罚大地，狠狠地放出他的光和热。大地

de liè kǒu yuè lái yuè dà gān de mào yān xiàng yì qún zhāng kǒu yào shuǐ hē de xiǎo hái yě
的裂口越来越大，干得冒烟，像一群张口要水喝的小孩。野

wài guāng tū tū de lián gēn cǎo dōu kàn bu jiàn dì miàn
外光秃秃的，连根草都看不见。地面

xiàng bèi shāo hóng de tiě bǎn tàng de yě zhū de jiǎo
像被烧红的铁板，烫得野猪的脚

hǎo tòng tā yòu lèi yòu kě pǎo
好痛。他又累又渴，跑

le yì tiān yě méi zhǎo dào shuǐ hàn
了一天也没找到水，汗

shuǐ dōu kuài liú guāng le
水都快流光了。

mí hu zhōng yě zhū kàn jiàn bù
迷糊中，野猪看见不

yuǎn chù yǒu yì mǒ lǜ jǐ
远处有一抹绿，几

ge xiǎo hēi diǎn zài shàng
个小黑点在上

miàn tiào dòng zhe tā
面跳动着。他

xiù dào le shuǐ de fēn
嗅到了水的芬

fāng quán shēn de máo
芳，全身的毛

kǒng dùn shí suō xiǎo
孔顿时缩小，

tā xīng fèn de kuáng bēn guo qu
他兴奋地狂奔过去。

yuán lái shì yì tiáo qīng chè de xiǎo xī zhōu wéi zhǎng mǎn le lǜ yóu yóu de xiǎo cǎo yě
原来是一条清澈的小溪，周围长满了绿油油的小草。野
zhū pā dào xī biān bǎ tóu kào jìn shuǐ miàn
猪趴到溪边，把头靠近水面。

bù zhǔn dòng bù zhī shén me shí hou lái le yì tóu shī zi ràng wǒ
“不准动！”不知什么时候来了一头狮子，“让我
xiān hē
先喝！”

wǒ xiān lái de yīng gāi wǒ xiān hē yě zhū rǎng dào
“我先来的，应该我先喝！”野猪嚷道。

tā men nǐ yí jù wǒ yí jù de zhēng chí bú xià yǐ zhì yú dǎ le qǐ lái hū
他们你一句我一句地争持不下，以至于打了起来。忽
rán tā men fā xiàn shù shang yǒu jǐ zhī shuāng yǎn fā guāng de tū yīng zhèng nài xīn de děng dài
然，他们发现树上有几只双眼发光的秃鹰，正耐心地等待
tā men liǎng bài jù shāng rán hòu fēn ròu chī ne shī zi hé yě zhū tíng le xià lái yì qǐ
他们两败俱伤，然后分肉吃呢。狮子和野猪停了下来，一起
hē shuǐ zhè yǒu shén me bù hǎo ne
喝水。这有什么不好呢？

想一想

野猪和狮子为了什么事打了起来？后来，他们为什么又不打了？

乌龟和鹰

乌龟吃得饱饱的，懒洋洋地趴在沙滩上晒太阳。看着海鸟在头上飞来飞去，乌龟抱怨道：“你看你们多幸福哇，可以在天上自由自在地飞，想去哪儿就去哪儿。可是谁愿意教我飞翔呢？”

一只鹰恰好经过附近，听到乌龟在诉苦，就问道：“我来带你飞上天，不过，你拿什么谢我呢？”

乌龟好高兴，说：“我愿意送给你海里全部的财宝，任你挑选。”

“好吧，我就来教你飞翔。”鹰说着用爪子一把抓住乌龟，从悬崖上滑翔一段，然后缓缓地飞向高空。忽然，一阵寒流冲来，鹰被冲得晕头转向，不自觉地放松了爪子。乌龟掉到了一座高山上，龟壳被摔得粉碎。

临死前，乌龟叹息道：“我在地上活得好好儿的，想吃就吃，想睡就睡，干吗想飞上天呢？活该呀，活该！”

驴和他的主人们

有一头驴子，他的主人是贩卖药草的。驴子平时不仅吃不饱，而且还要做许许多多工作。驴子感到委屈极了，于是他乞求天帝宙斯说：“请您发发慈悲，给我换个主人吧！我现在的主人简直不把我当驴看。他让我吃很少的饭，却让我干最重的活。我简直活不下去了。”宙斯用告诫的口吻说：“你真的要换吗？但是我必须告诉你，你将会为你的请求而后悔的。你确定要换吗？”驴子坚定地点点头。

驴子的愿望实现了，他的新主人是个砖瓦匠。没过几天，驴子发现他背的东西比以前的还重，他比以前更累了。于是，他又去请求宙斯给他换个主人。

宙斯说：“这可是我最后一次答应你的请求了。你以后再也不能换主人了。”

于是，一个制革匠成了驴子的新主人。过了几天，驴子发现他的新主人更糟糕。当他看到新主人把一个个动物朋友

de pí bāo xia lai zhì zuò chéng pí gé rán hòu mài diào lú zi hòu huǐ jí le tā
的皮剥下来，制作成皮革，然后卖掉，驴子后悔极了，他
kū zhe shuō hái shi yuán lái nà liǎng ge zhǔ rén hǎo wa jiù suàn wǒ bèi dì yī ge zhǔ
哭着说：“还是原来那两个主人好哇。就算我被第一个主
rén è sǐ bèi dì èr ge zhǔ rén lèi sǐ yě bǐ zài zhè li de xià chǎng hǎo wa wǒ
人饿死，被第二个主人累死，也比在这里的下场好哇。我
xiǎng děng dào wǒ sǐ le tā jiāng yào bāo le wǒ de pí qù mài qián ne
想等到我死了，他将要剥了我的皮去卖钱呢！”

suǒ yǐ shuō zhǐ yǒu zhī zú cái néng cháng lè ya
所以说，只有知足，才能常乐呀！

我的读后感

驴子三次换主人，却一次不如一次。这个故事告诉我们：这只驴子与其一次次地换主人，不如寻找提高工作效率的办法。

蝙蝠和黄鼠狼

一只蝙蝠在狭窄的山洞里飞来飞去，一不小心，撞到了洞壁上，跌了下来，落在饥饿的黄鼠狼脚边。

黄鼠狼满心欢喜，一把抓住蝙蝠，说：“你这只不知天高地厚的鸟儿，居然主动送上门来给我当午餐，难道你不知道我最讨厌鸟吗？长着翅膀到处乱飞！”

蝙蝠灵机一动，把身子缩成一团，学着老鼠“吱吱”地叫，然后说道：“聪明的黄鼠狼先生，我哪里像鸟？您看，我是多么乖巧的一只小老鼠哇！”

黄鼠狼仔细一看，好像真的是只老鼠，于是，就把蝙蝠放了。

没过多久，这只蝙蝠又被另外一只黄鼠狼逮住了，可这只黄鼠狼特别不喜欢老鼠。

biān fú jiù zhāng kai tā de chì bǎng yì biān yòng lì shān dòng zhe yì biān qīn qiè de duì
蝙蝠就张开他的翅膀，一边用力扇动着，一边亲切地对

huáng shǔ láng shuō nín kàn wǒ yǒu chì bǎng wǒ shì zhī biān fú
黄鼠狼说：“您看，我有翅膀，我是只蝙蝠。”

huáng shǔ láng zhī dào lǎo shǔ bú huì zhǎng chì bǎng jiù yòu bǎ zhè zhī
黄鼠狼知道老鼠不会长翅膀，就又把这只

biān fú gěi fàng le
蝙蝠给放了。

biān fú kào zhe tā de zhì huì hé fǎn yìng lì chéng
蝙蝠靠着他的智慧和反应力，成

gōng de jiù le zì jǐ liǎng cì
功地救了自己两次。

qīng wā qiú wáng
青蛙求王

cóng qián yǒu yì qún xiǎo qīng wā tā men shēng huó zài yí ge dà chí táng li chí táng
从前有一群小青蛙，他们生活在一个大池塘里。池塘
zhōng jiān yǒu ge xiǎo bà zi zhōu wéi zhǎng mǎn le lú wěi wǎn fēng chuī lai lú wěi qīng qīng
中间有个小坝子，周围长满了芦苇。晚风吹来，芦苇轻轻
yáo bǎi qīng wā men jiù zài xiǎo bà zi shang chàng gē tiào wǔ
摇摆，青蛙们就在小坝子上唱歌跳舞。

rì zi yì tiān tiān guò qu le xiǎo qīng wā men yuè lái yuè xī wàng yǒu yí ge guó wáng
日子一天天过去了，小青蛙们越来越希望有一个国王。

于是，他们派使者找到了天帝宙斯，希望能赐予他们一个国王。宙斯微微一笑，心想：“这群笨蛋活得好好儿的，干吗要个国王啊？”于是，随手捡起一根大树枝扔到池塘里，把使者打发走了。

过了几天，他们觉得树枝太没有生命力了，又跑到宙斯面前，这次领回去一条鳗鱼。

没多久，他们又觉得鳗鱼太温柔了，第三次来到宙斯面前。这次宙斯发怒了，就派了只鹭鸶去做他们的国王。从此以后，再没有青蛙去找宙斯了，因为他们全都变成了鹭鸶的晚餐。

qīng wā zhuàng gào tài yáng
青蛙状告太阳

yán yán xià rì méi yǒu fēng méi yǒu yǔ kōng qì li méi yǒu yì sī liáng
炎炎夏日，没有风，没有雨，空气里没有一丝凉
yì yúr duǒ zài shuǐ dǐ bù gǎn mào
意。鱼儿躲在水底不敢冒
tóu xiǎo qīng wā cáng zài dà dà de hé
头，小青蛙藏在大大的荷
yè xia bù gǎn chū qu
叶下不敢出去。

zhè shí má què zài
这时，麻雀在
kōng zhōng xīng fèn de jiào hǎn
空中兴奋地叫喊：
tài yáng yào jǔ xíng hūn lǐ
“太阳要举行婚礼
la zhè ge bào zhà xìng xīn
啦！”这个爆炸性新
wén ràng zhěng gè chí táng zhěng gè
闻让整个池塘、整个
cūn zhuāng lì kè fèi téng qi lai le
村庄立刻沸腾起来了。

dòng wù men dà dōu gāo gāo
动物们大都高高
xìng xìng de tā men jī dòng
兴兴的，他们激动
de tán lùn zhe fǎng fú nà shì
地谈论着，仿佛那是
tiān dà de xǐ shì zhǐ yǒu qīng wā
天大的喜事。只有青蛙

méi yǒu xiā qǐ hòng tā men tīng dào zhè ge xiāo xi hòu fēi cháng shēng qì suǒ yǒu de qīng wā
没有瞎起哄，他们听到这个消息后非常生气。所有的青蛙

dōu xiàng tiān shàng guā guā dà jiào bù tíng de jiào yì zhí jiào le sān tiān sān yè
都向天上呱呱大叫，不停地叫，一直叫了三天三夜。

zhòu sī bèi chǎo de shí zài shòu bu liǎo le jiù xià fán lái wèn tā men yǒu shén me yuàn
宙斯被吵得实在受不了了，就下凡来问他们有什么怨

qì quán tǐ qīng wā xuǎn chu yí ge dài biǎo dài biǎo tā men zhuàng gào tài yáng nín
气。全体青蛙选出一个代表，代表他们状告太阳：“您

kàn xiàn zài tài yáng hái shì ge dān shēn hàn dōu kuài bǎ chí táng gěi shài gān le wǒ men xǔ
看，现在太阳还是个单身汉，都快把池塘给晒干了。我们许

duō xiōng dì jiě mèi yǐ jīng bèi hài de cǎn sǐ zài chí táng li rú guǒ tā shēng le hái zi
多兄弟姐妹已经被害得惨死在池塘里。如果他生了孩子，

hái bù zhī dào wǒ men gāi zěn yàng mìng kǔ ne
还不知道我们该怎样命苦呢！”

想一想

听说太阳要举行婚礼，其他动物都高高兴兴的，为什么所有的青蛙却叫了三天三夜？

____

魔鬼与姑娘

魔鬼在世间游来荡去，看上了一位漂亮的姑娘，他日思夜想，一心一意想娶这位姑娘为妻。

这位姑娘虽然从小生活在穷苦人家，没有读书认字，却十分聪明伶俐，心地也十分善良。

一天，姑娘去井边打水，魔鬼从井里冒了出来，可样子一点儿都不吓人。

他温柔地说：“可爱的姑娘，你是人世间最美的风景，你是百花园中最美丽的花朵，你永远是我心中最甜蜜的玫瑰。人们都说我是**凶神恶煞**（喻指非常凶恶的人），其实我是个很善良的男人哩！请打开你的芳心，接受我的爱吧！如果你嫁给我，我一定让你享尽世上所有的荣华富贵。我愿在雨天为你撑伞。当你生病的时候，我会守在你身旁，悉心照顾你。你愿意嫁给我吗？”

姑娘听了魔鬼的花言巧语，一点儿都不动心。她问

dào nǐ shuō de róng huá fù guì zài rén jiān néng huò dé ma mó guǐ yáo le
道：“你说的荣华富贵在人间能获得吗？”魔鬼摇了
yáo tóu
摇头。

hǎo ba gū niang líng jī yí dòng shuō nà děng wǒ lí kāi rén shì de shí
“好吧，”姑娘灵机一动，说，“那等我离开人世的时
hou wǒ yí dìng jià gěi nǐ
候，我一定嫁给你。”

我的读后感

面对像魔鬼一样的坏人时，我们不要被他们的花言巧语所迷惑，要多思考，用自己的智慧取胜。

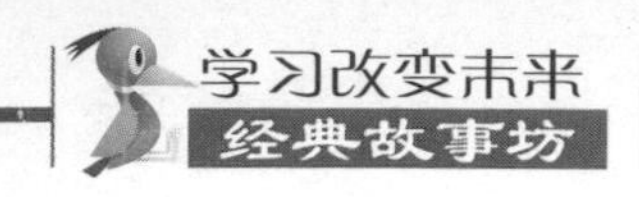

nán hái hé qián má
男孩和荨麻

yì tiān xiǎo nán hái gǎn zhe yì qún yáng lái dào shān bèi miàn de xiǎo shān pō shang tā bǎ
一天，小男孩赶着一群羊来到山背面的小山坡上。他把
yáng qún dài dào yí piàn nèn nèn de dà cǎo yuán shang jiù lí kāi le tā yào dào chù qù liū da
羊群带到一片嫩嫩的大草原上，就离开了。他要到处去溜达
yì quān tā fā xiàn le yì zhū zhí wù bìng shēn xìn zhè zhū zhí wù jiù jiào qián má mā
一圈。他发现了一株植物，并深信这株植物就叫荨麻，妈
ma gào su guo tā de
妈告诉过他的。

qián má zhǎng de yǒu liǎng ge xiǎo nán hái nà me gāo ba tā de
荨麻长得有两个小男孩那么高吧。它的
yè bàr dǐ bù chōu chu le hǎo duō xiǎo suìr hǎo piào liang
叶把儿底部抽出了好多小穗儿，好漂亮。
xiǎo nán hái xiǎo xīn yì yì de shēn chu tā de shǒu
小男孩小心翼翼地伸出他的手，
xiǎng bá qi nà zhū qián má
想拔起那株荨麻。
à qián má suì
“啊！”荨麻穗
de máo shēn shēn de cì jin
的毛深深地刺进
le xiǎo nán hái de shǒu xīn
了小男孩的手心
li xiān xuè yì dī dī de
里，鲜血一滴滴地
shèn le chū lái jiù xiàng xiān
渗了出来，就像鲜
hóng de zhēn zhū
红的珍珠。

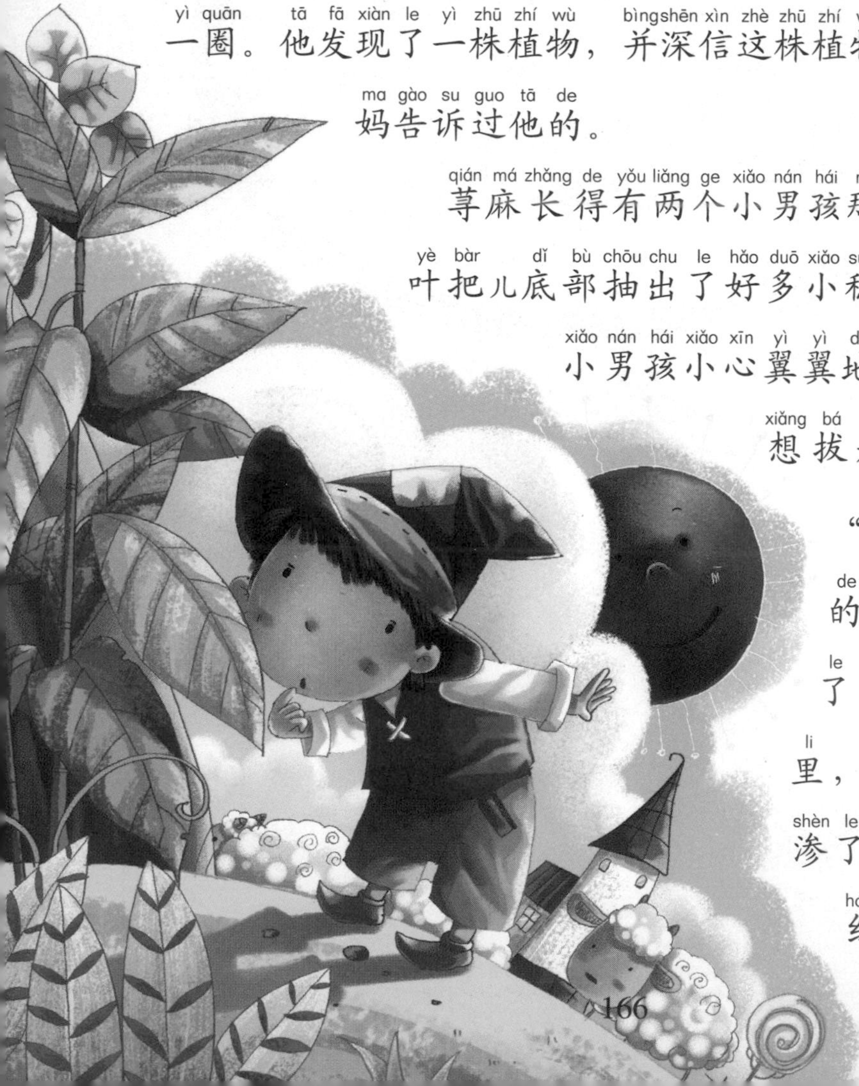

小男孩哭着跑回家，找到了妈妈。妈妈把小男孩带到井边，舀水轻轻地冲洗他的小手，并说道：“你要勇敢一点儿哟，男孩子是不能哭鼻子的。下次再看到荨麻，不要害怕，只要狠狠地把它握住，你就会发现它其实像丝一样柔软。”

我的读后感
男孩的妈妈教导我们，要勇敢地面对强敌，只有这样，他们才会变得弱小，我们才能战胜他们。

lǎo shī zi hé hú li
老狮子和狐狸

yǒu yì tóu shī zi suì shu dà le tā yǐ jīng méi yǒu lì qi qù bǔ zhuō shí wù le
有一头狮子岁数大了，他已经没有力气去捕捉食物了。
yú shì tā jiù xiǎngyòng zhì huì lái huò qǔ shí wù
于是，他就想用智慧来获取食物。

yǒu yì tiān tā zuān jin yí ge shāndòng li tǎng zài dì shangzhuāngbìng tā xiǎng xiǎo
有一天，他钻进一个山洞里，躺在地上装病。他想，小
dòng wù men lù guò zhè li kàn dào le yí dìng huì tíng xia lai wèn wen tā de
动物们路过这里，看到了一定会停下来问问他的。

guǒ rán yǒu hěn duō xiǎo dòng wù lù guò zhè li shí dōu huì lái wèn wen nián mài
果然，有很多小动物路过这里时，都会来问问年迈（形
de shī zi shì fǒu xū yào bāng zhù jié guǒ tā men dōu shàng le dàng bèi shī
容年纪很大）的狮子是否需要帮助，结果他们都上了当，被狮
zi chī diào le
子吃掉了。

yì zhī hú li shí pò le lǎo shī zi de guǐ jì tā bù zuān jin shāndòng ér shì yuǎn
一只狐狸识破了老狮子的诡计，他不钻进山洞，而是远
yuǎn de zhàn zài dòng wài jiǎ zhuāngguān qiè de wèn shī zi dà gē nín de shēn tǐ hǎo
远地站在洞外，假装关切地问：“狮子大哥，您的身体好
ma yǒu shén me xū yào wǒ bāngmáng de ma
吗？有什么需要我帮忙的吗？”

lǎo shī zi tīng le jiǎ zhuāng yǒu qì wú lì de huí dá shuō hú li lǎo dì wǒ
老狮子听了，假装有气无力地回答说：“狐狸老弟，我
lǎo le shēn tǐ yuè lái yuè chà le jiē zhe tā yòu shuō zhè jǐ tiān wǒ yòu
老了，身体越来越差了。”接着，他又说：“这几天，我又
bìng le nǐ néng jìn lai gēn wǒ liáo yí huìr tiān ma wǒ yí ge rén hěn wú liáo
病了。你能进来跟我聊一会儿天吗？我一个人很无聊！”

hú li píng jìng de shuō shī zi dà gē nín jiù ān xīn yǎng bìng ba wǒ bú jìn
狐狸平静地说：“狮子大哥，您就安心养病吧！我不进

qu dǎ rǎo nín le
去打扰您了。”

shī zi bù sǐ xīn jiē zhe shuō nǐ kuài jìn lai ba nǐ wèi shén me bú yuàn yì
狮子不死心，接着说：“你快进来吧！你为什么不愿意

jìn lai ne
进来呢？”

hú li huí dá dào wǒ rú guǒ méi fā xiàn zhǐ yǒu xiǎo dòng wù men jìn qu de jiǎo
狐狸回答道：“我如果没发现只有小动物们进去的脚

yìn ér méi yǒu tā men chū lai de jiǎo yìn yě xǔ huì zuān jin dòng li de
印，而没有他们出来的脚印，也许会钻进洞里的。”

我的读后感
一个人不应该被他人的花言巧语所迷惑，要学会观察环境，并及时地作出明智的判断，这样才能更好地保护自己。

hú li hé xiǎo niǎo

狐狸和小鸟

měi lì de sēn lín li　yǒu yì kē gāo dà de shù　shù shang zhù zhe sān zhī yǔ máo gāng
美丽的森林里，有一棵高大的树。树上住着三只羽毛刚

gāng zhǎng cháng de xiǎo niǎo　tā men de bà ba mā ma bù zhī bèi shuí dǎ sǐ le　kě lián de
刚长长的小鸟，他们的爸爸妈妈不知被谁打死了。可怜的

xiǎo niǎo men bú huì zì jǐ zhǎo shí chī　yòu bú huì dā wō　yòu lèi yòu è　jiù zài shù
小鸟们不会自己找食吃，又不会搭窝，又累又饿，就在树

shang bù tíng de kū　tā men bù tíng de hǎn zhe bà ba mā ma　sǎng zi dōu hǎn yǎ le
上不停地哭。他们不停地喊着爸爸妈妈，嗓子都喊哑了。

yì zhī hú li tīng dào kū shēng　lái dào dà shù xia　tā yǎng zhe tóu　kàn zhe shù shang
一只狐狸听到哭声，来到大树下。他仰着头，看着树上

de sān zhī xiǎo niǎo kǒu shuǐ zhí liú　zěn yàng cái néng chī dào zhè sān zhī xiǎo niǎo ne　hú
的三只小鸟口水直流。“怎样才能吃到这三只小鸟呢？”狐

li wāi zhe tóu xiǎng
狸歪着头想。

zhōng yú　hú li xiǎng chu le yí
终于，狐狸想出了一

ge bàn fǎ　tā mǎ shàng zhuāng chu yí fù
个办法。他马上装出一副

cí bēi de yàng zi　kū zhe duì sēn lín li
慈悲的样子，哭着对森林里

de niǎor men dà shēng de hǎn dào
的鸟儿们大声地喊道：

xiāng qīn men　qǐng shēn chu nǐ men
“乡亲们，请伸出你们

wēn nuǎn de shǒu　jiù jiu zhè sān ge
温暖的手，救救这三个

kě lián de hái zi ba
可怜的孩子吧！”

鸟儿们一听到狐狸的哭声，都好奇地飞了过来。狐狸看见杜鹃，说：“好心的杜鹃，请你拔下一点儿柔软的羽毛，给孤儿们垫垫窝吧！”

狐狸一转头，又看见了云雀，说：“请你也为可怜的孤儿作点儿贡献吧！去弄点儿谷子来，让小鸟们吃口饭吧！”

他又对母鸽喊道：“你用你的爱已经把孩子们抚养长大了，请你分一点儿母爱给这三个可怜的孩子吧！”

他又提醒燕子：“请你帮这三个孩子捉几条虫子，让他们改善改善伙食吧。看他们饿得多可怜哪！”

他哭着去求每一只鸟儿。善良的鸟儿们都被狐

li dǎ dòng le tā men dā ying yí dìng hǎo hāor zhào gù zhè sān ge gū ér
狸打动了，他们答应一定好好儿照顾这三个孤儿。

zhè shí sān zhī kě lián de xiǎo niǎo bèi hú li hé zhōu wéi de niǎor men gǎn dòng le tā men jué de zì jǐ yù dào le jiù mìng ēn rén tè bié shì hú li shì tā men zuì xū yào gǎn xiè de rén yú shì tā men yì qǐ kū zhe fēi le xià lái pū jin hú li de huái li
这时，三只可怜的小鸟被狐狸和周围的鸟儿们感动了，他们觉得自己遇到了救命恩人，特别是狐狸，是他们最需要感谢的人。于是他们一起哭着飞了下来，扑进狐狸的怀里。

kě shì jiù zài zhè shí bēi jù fā shēng le zài niǎor men de yǎn pí dǐ xia hú li yì bǎ zhuā zhù tā men yì kǒu yì kǒu de bǎ tā men gěi chī le
可是，就在这时，悲剧发生了。在鸟儿们的眼皮底下，狐狸一把抓住他们，一口一口地把他们给吃了。

我的读后感

对善良的人要心存感激，对伪善的人要学会识别。

cōng míng de wū yā 聪明的乌鸦

有一只乌鸦快要渴死了，忽然，他看见一个水瓶，便兴奋地朝它飞去。等到那里一看，水瓶里的水太少了，他的嘴根本够不到瓶里的水。怎么办呢？于是他想了许多办法，但都丝毫不起作用，急得他围着瓶子团团转。忽然，他发现在瓶子旁边有许多小石子，他试着叼起一些石子，用嘴把它们一颗一颗地放到水瓶里去，水瓶里的水好像比以前增高了一些，于是他又非常卖力地接着把更多的石子扔到水瓶里，直到水满到他能够喝到为止，他的性命也因此而得救了。

威仪的普罗米修斯

众神之王宙斯的脾气很坏，常**莫明其妙**（形容事情稀奇古怪,难以理解）地发一通火。很多天神都受不了他，但大都是敢怒不敢言。

有一个刚被宙斯册封的天神实在受不了他这没完没了的坏脾气，决定不做天神了，他叫普罗米修斯。普罗米修斯能当天神有三个原因：一是他很受宙斯之女——雅典娜的青睐；二是他的才华与智慧跟宙斯不相上下；三是他给大地作出了杰出的贡献。对普罗米修斯不做天神这一决定，宙斯并未阻拦，而是表示尊重。天神们都看得出来，宙斯当然不希望在他的势力范围之内出现这么厉害的竞争对手。

普罗米修斯重新返回大地，他雄心勃勃地决定用自己的智慧将大地进行彻底改造。

普罗米修斯发现在大地上生活的人悟性极高，很多东西一学就会，这令他感到欣慰。他精心地训练起人类来了，教他们用树木刻削房梁，伐木建房；教他们捕捉弱小动物驯养为家畜；教他们开垦荒地，种植庄稼；等等。普罗米修斯将自己的一生无私地奉献给了人类，为此人类很感激普罗米修斯。

众神之王宙斯看到大地越来越繁荣，大有赶超他所居住的奥林匹斯山之势，内心很不平衡。他暗地里把奥林匹斯山上的凶禽猛兽放下山，想扰乱普罗米修斯一手缔造的昌盛大地。

普罗米修斯不想滥杀那些凶禽猛兽，便把它们变成了人。但这些人骨子里还存有野兽的本性，所以他们便成了人面兽心的人，被善良的人们所蔑视。

普罗米修斯为什么不想当天神了？他返回大地后，是怎么训练人类的？后来，宙斯对待普罗米修斯的态度发生了什么变化？

yě tù hé liè gǒu
野兔和猎狗

yì zhī liè gǒu bǎ yì zhī yě tù gǎn chu le tù wō yě tù méi mìng de wǎng qián pǎo liè gǒu jǐn zhuī bù shě kě shì liè gǒu zhuī le bàn tiān fǎn ér lí yě tù yuè lái yuè yuǎn le liè gǒu zhī dào zì jǐ zhuī bu shàng le suǒ xìng tíng xia lai bù zhuī le

一只猎狗把一只野兔赶出了兔窝，野兔没命地往前跑，猎狗紧追不舍。可是猎狗追了半天，反而离野兔越来越远了，猎狗知道自己追不上了，索性停下来不追了。

mù yáng rén cháo xiào liè gǒu shuō nǐ men liǎng ge xiǎo de pǎo de kuài dà de què pǎo de màn nǐ zhè liè gǒu shì zěn yàng bāng zhǔ rén dǎ liè de

牧羊人嘲笑猎狗说：“你们两个，小的跑得快，大的却跑得慢，你这猎狗是怎样帮主人打猎的？”

liè gǒu tīng le huí dá dào nán dào nǐ méi yǒu kàn chu wǒ men liǎng ge pǎo de mù dì shì bù xiāng tóng de ma duì wǒ lái shuō zhǐ shì wèi le bǎo cān yí dùn ér bēn pǎo duì tù zi lái shuō zé shì wèi le zì jǐ de zhěng gè shēn jiā xìng mìng ér bēn pǎo zhè yàng sù dù dāng rán bù yí yàng le

猎狗听了，回答道：“难道你没有看出，我们两个跑的目的是不相同的吗？对我来说，只是为了饱餐一顿而奔跑；对兔子来说，则是为了自己的整个身家性命而奔跑。这样，速度当然不一样了！”

xiǎo gǒu hé dà xiàng
小狗和大象

yǒu yì tiān yì tóu dà xiàng zài jiē shang sàn bù rén men fēng yōng ér zhì yì biān kàn
有一天，一头大象在街上散步，人们蜂拥而至，一边看
zhe dà xiàng yì biān bú zhù de zàn tàn zhe xiǎo péng yǒu men kàn dào dà xiàng gèng gāo xìng le
着大象，一边不住地赞叹着。小朋友们看到大象更高兴了，
bù tíng de pāi shǒu wéi zhe dà xiàng jiào wa xiào wa dà xiàng kàn dào rén men zhè me xǐ huan
不停地拍手，围着大象叫哇笑哇。大象看到人们这么喜欢
tā jiù huī wǔ zhe cháng bí zi xiàng rén men biǎo shì gǎn xiè
他，就挥舞着长鼻子向人们表示感谢。

tū rán yì tiáo xiǎo hǎ ba gǒu pīn mìng cóng rén qún zhōng jǐ le chū lái chōng dào páng dà
突然，一条小哈巴狗拼命从人群中挤了出来，冲到庞大
de dà xiàng miàn qián kuáng wàng de shuō hēi wǒ shuō dà xiàng wǒ shì běn lǐng zuì qiáng
的大象面前，狂妄地说："嘿，我说大象，我是本领最强
de gǒu nǐ gǎn hé wǒ yì jué gāo xià ma kě shì dà xiàng cái bù lǐ cǎi tā ne jì
的狗。你敢和我一决高下吗？"可是大象才不理睬他呢，继
xù bù huāng bù máng de xiàng qián zǒu
续不慌不忙地向前走。

páng biān yì tiáo juǎn máo gǒu shí zài kàn bu xià qù le tā pǎo shang qu quàn jiè tā
旁边，一条卷毛狗实在看不下去了，他跑上去劝诫他
de péng you shuō nǐ kàn dà xiàng de gè zi duō gāo wa jiù píng nǐ zhè ge xiǎo gè
的朋友，说："你看，大象的个子多高哇，就凭你这个小个
zi zěn me kě néng shì dà xiàng de duì shǒu ne nǐ zài zhèr tiǎo zhàn kě shì rén jia dà
子，怎么可能是大象的对手呢？你在这儿挑战，可是人家大
xiàng zhào yàng zǒu tā de lù gēn běn bù lǐ cǎi nǐ ya
象照样走他的路，根本不理睬你呀。"

xiǎo hǎ ba gǒu xīn xiǎng juǎn máo gǒu nà me bèn zěn me kě néng zhī dào wǒ de yòng yì
小哈巴狗心想：卷毛狗那么笨，怎么可能知道我的用意
ne wǒ yí dìng yào zài dà jiā miàn qián xiǎn xian wǒ de yǒng gǎn yǒu shuí gǎn yú xiàng dà
呢？我一定要在大家面前，显显我的勇敢。有谁敢于向大

xiàng fā pí qi jīn hòu kě bù néng xiǎo kàn wǒ le
象发脾气，今后可不能小看我了！

xiǎo hǎ ba gǒu yì biān xiǎng yì biān àn àn gāo xìng
小哈巴狗一边想，一边暗暗高兴。

juǎn máo gǒu zhī dào le xiǎo hǎ ba gǒu de yòng yì tàn le kǒu qì zhuǎn shēn lí kāi
卷毛狗知道了小哈巴狗的用意，叹了口气，转身离开

le dà jiā dōu zài xīn li cháo xiào xiǎo hǎ ba gǒu de kuáng wàng zì dà yě fēn fēn lí kāi
了。大家都在心里嘲笑小哈巴狗的狂妄自大，也纷纷离开

le zhǐ yǒu xiǎo hǎ ba gǒu réng zài zuò zhe dāng yīng xióng de měi mèng
了。只有小哈巴狗仍在做着当“英雄”的美梦。

我的读后感
一个人的勇气如果不是来自于实力，而是建立在狂妄自大和虚荣心的基础之上，那么，当他面临危险时，就容易变得不堪一击。

hái zi hé wō niú
孩子和蜗牛

hónghóng de huǒ miáo yuè shāo yuè wàng zài xiǎo nán hái de yǎn zhōng tiào yuè zhe ràng tā
红红的火苗越烧越旺，在小男孩的眼中跳跃着，让他
gǎn dào xīn qíng hěn hǎo hǎo dào jiù hǎo xiàng yǒu hěn duō de xiǎo tiān shǐ zài tā xīn lǐ
感到心情很好，好到就好像有很多的小天使在他心里
miàn fēi
面飞。

tā zuò zài wēn nuǎn de gōu huǒ páng biān yì biān kǎo
他坐在温暖的篝火旁边，一边烤
huǒ yì biān zhuōzhōu wéi ní tǔ li de wō niú
火，一边捉周围泥土里的蜗牛。

měi dāng zhuō mǎn yì pěng de shí hou tā jiù
每当捉满一捧的时候，他就
bǎ nà xiē wō niú fàng dào huǒ shang qù kǎo
把那些蜗牛放到火上去烤，
zhǔn bèi kǎo shú le dàng zuò měi cān chī diào
准备烤熟了当作美餐吃掉。

wō niú de ké zài huǒ zhōng zhà kai
蜗牛的壳在火中炸开，
wō niú men hǎo tòng hǎo tòng a
蜗牛们好痛好痛啊，
tā men zài yuè lái yuè rè de
他们在越来越热的
kōng qì zhōng zhēng zhá nán
空气中挣扎，难
guò de jī hū yào kū chu
过得几乎要哭出
lai le kě shì zhōu
来了。可是，周

wéi shí zài shì tài rè le tā men de yǎn lèi zài hái méi yǒu liú chu lai zhī qián jiù yǐ jīng
围实在是太热了，他们的眼泪在还没有流出来之前，就已经
bèi zhēng fā gān le
被蒸发干了。

jiù shì zhè yàng zhēng zhá hé bào zhà de shēng yīn chuán dào le xiǎo nán hái de ěr duo
就是这样，挣扎和爆炸的声音，传到了小男孩的耳朵
lǐ miàn tā jué de hǎo qí guài tā bù dǒng wèi shén me wō niú huì fā chū zhè yàng de shēng
里面。他觉得好奇怪，他不懂为什么蜗牛会发出这样的声
yīn tā hào qí de dīng zhe huǒ lǐ miàn de wō niú kàn le hǎo jiǔ jué de tā men zài huǒ
音。他好奇地盯着火里面的蜗牛，看了好久，觉得他们在火
lǐ miàn de dòng zuò shí zài shì hěn nán lǐ jiě
里面的动作实在是很难理解。

yú shì tā rěn bu zhù wèn dào nǐ men mǎ shàng jiù yào bèi wǒ chī diào le wèi
于是，他忍不住问道：“你们马上就要被我吃掉了，为
shén me hái yǒu hǎo xīn qíng qù chàng gē ne
什么还有好心情去唱歌呢？”

想一想

小男孩捉了蜗牛想干什么？为什么小男孩会把蜗牛挣扎和爆炸的声音理解成唱歌呢？

____

tiě jiàng hé gǒu
铁匠和狗

cóng qián yǒu ge qín láo de tiě jiàng měi tiān cóng zǎo dào wǎn bù tíng de
从前，有个勤劳的铁匠，每天从早到晚不停地
láo dòng
劳动。

tiě jiàng jiā li yǎng le yì tiáo xiǎo gǒu jǐn guǎn tiě jiàng dǎ tiě shí nà dīng dīng dāng
铁匠家里养了一条小狗。尽管铁匠打铁时那“叮叮当
dāng de xiǎng shēng hěn cì ěr dàn shì xiǎo gǒu réng néng hū hū shuì dà jiào hǎo xiàng shén me
当”的响声很刺耳，但是小狗仍能呼呼睡大觉，好像什么
yě tīng bu jiàn shì de
也听不见似的。

kě shì dāng tiě jiàng ān ān jìng jìng de chī fàn shí xiǎo gǒu lì kè pǎo guo lai xiào
可是，当铁匠安安静静地吃饭时，小狗立刻跑过来，笑
xī xī de yáo zhe wěi ba shuō zhǔ rén zhǔ rén wǒ yě è le tiě jiàng suí
嘻嘻地摇着尾巴，说：“主人，主人，我也饿了。”铁匠随
shǒu ná qi yí kuài gǔ tou gěi xiǎo gǒu xiǎo gǒu zhuā qi gǔ tou jiù kěn qi lai chī de kě xiāng
手拿起一块骨头给小狗，小狗抓起骨头就啃起来，吃得可香
le tiě jiàng wèn nǐ zhè tān shuì de jiā huo zhēn shì qí guài wǒ dǎ tiě de shēng yīn
了。铁匠问：“你这贪睡的家伙，真是奇怪。我打铁的声音
nà me dà nǐ hái néng shuì de nà me xiāng tián kě shì wǒ chī fàn shí yì diǎnr qīng qīng
那么大，你还能睡得那么香甜；可是我吃饭时，一点儿轻轻
de shēng yīn nǐ dōu néng tīng dào zhè shì wèi shén me ne
的声音你都能听到，这是为什么呢？”

xiǎo gǒu bù huí dá réng jiù dī zhe tóu kěn zhe nà kuài gǔ tou
小狗不回答，仍旧低着头啃着那块骨头。

jiā gǒu hé shòu láng
家狗和瘦狼

yè wǎn jiǎo jié de yuè guāng xia yì zhī jī è de shòu láng zhèng sì chù zhǎo shí wù
夜晚皎洁的月光下，一只饥饿的瘦狼正四处找食物。
tā yù dào le yì zhī bèi wèi yǎng de hěn zhuàng shi de jiā gǒu shòu láng xiān shì hěn yǒu lǐ mào
他遇到了一只被喂养得很壮实的家狗。瘦狼先是很有礼貌
de dǎ le ge zhāo hu rán hòu hào qí de wèn péng you nǐ zěn me zhè me pàng a
地打了个招呼，然后好奇地问：“朋友，你怎么这么胖啊，
bù zhī dào nǐ dōu chī le shén me hǎo dōng xi wǒ
不知道你都吃了什么好东西？我
xiàn zài měi tiān dào chù liú làng zhěng tiān rěn shòu
现在每天到处流浪，整天忍受
zhe jī è de jiān áo rì zi guò
着饥饿的煎熬，日子过
de kǔ jí le
得苦极了。”

家狗回答说："如果你想像我一样健壮，你就跟着我干吧！"

"可以，可以。"瘦狼赶紧问，"干什么活儿？"

家狗回答："很简单，就是给主人看家守门，夜间防止盗贼进来。"

"这么简单哪，住在森林里风吹雨打的，我都受够了。为了能有个暖和的屋子住，还有可口的食物吃，我什么都不在乎。"

"那好。"家狗说，"跟我走吧！"

他们俩一起上路了，走着走着，瘦狼突然发现家狗脖子上有一块伤疤，感到十分奇怪，问道："你脖子上的伤疤是怎么回事？""没什么，

yì diǎnr xiǎo shāng yě xǔ shì wǒ bó zi shang shuān tiě liàn zi de jǐng quān nòng de jiā
一点儿小伤，也许是我脖子上拴铁链子的颈圈弄的。”家
gǒu qīng miáo dàn xiě de shuō
狗轻描淡写地说。

tiě liàn zi shòu láng jīng qí de shuō nán dào nǐ shì shuō nǐ bù néng zì
“铁链子！”瘦狼惊奇地说，“难道你是说，你不能自
yóu zì zài de pǎo lái pǎo qù ma
由自在地跑来跑去吗？”

yě bù néng zhè me shuō jiā gǒu shuō bái tiān zhǔ rén yòng tiě liàn zi bǎ
“也不能这么说。”家狗说，“白天主人用铁链子把
wǒ shuān qi lai dàn wǒ xiàng nǐ bǎo zhèng zài wǎn shang wǒ shì yǒu zì yóu de
我拴起来。但我向你保证，在晚上我是有自由的。”

jiā gǒu wèi le shuō míng zì jǐ shēng huó de hěn hǎo yòu jì xù shuō zhǔ rén hé pú
家狗为了说明自己生活得很好，又继续说：“主人和仆
rén cháng cháng bǎ tā men de shèng fàn sòng gěi wǒ chī duì wǒ kě hǎo le
人常常把他们的剩饭送给我吃，对我可好了。”

zài jiàn shòu láng shuō nǐ qù guò nǐ de shū fu rì zi ba wǒ nìng kě
“再见！”瘦狼说，“你去过你的舒服日子吧！我宁可
ái è yě yào zì yóu zì zài de shēng huó wǒ kě bú yuàn xiàng nǐ yí yàng tào zhe tiě liàn
挨饿，也要自由自在地生活。我可不愿像你一样套着铁链
zi guò rì zi
子过日子。”

我的读后感
自由的生活是人人都向往的，但总是要面临更大的困难；安逸的生活是人人都羡慕的，但总是以失去某些东西为代价的。

chéng li lǎo shǔ hé xiāng xia lǎo shǔ
城里老鼠和乡下老鼠

chéng li lǎo shǔ hé xiāng xia lǎo shǔ shì hǎo péng you yì tiān chéng li lǎo shǔ qù xiāng xia zuò kè tā yì biān chī zhe xiāng xia de dà mài hé gǔ zi yì biān duì xiāng xia lǎo shǔ shuō wǒ qīn ài de péng you nǐ kě zhēn kǔ mìng a yào zhī dào nǐ zhè shì mǎ yǐ guò de shēng huó zài chéng li wǒ jiā li de chī de duō de shì xiāng xia lǎo shǔ xiàn mù jí le jiù gēn zhe tā jìn le chéng

城里老鼠和乡下老鼠是好朋友。一天，城里老鼠去乡下做客。他一边吃着乡下的大麦和谷子，一边对乡下老鼠说：“我亲爱的朋友，你可真苦命啊！要知道，你这是蚂蚁过的生活！在城里，我家里的吃的多得是！”乡下老鼠羡慕极了，就跟着他进了城。

chéng li lǎo shǔ ná chu le nǎi lào mì táng pú tao gān xiāng xia lǎo shǔ hěn xīng fèn yí ge jìnr de mán yuàn zì jǐ mìng bù hǎo zhè shí tū rán yǒu rén kāi mén liǎng ge kě lián de xiǎo jiā huo xià de zī zī luàn jiào fēi yí yàng de táo mìng guò le hǎo yí huìr tā men cái niè shǒu niè jiǎo de cóng dòng li pá chu lai kě

城里老鼠拿出了奶酪、蜜糖、葡萄干，乡下老鼠很兴奋，一个劲儿地埋怨自己命不好。这时，突然有人开门，两个可怜的小家伙吓得“吱吱”乱叫，飞一样地逃命。过了好一会儿，他们才蹑手蹑脚地从洞里爬出来。可

当他们正准备品尝美食时，又有人进来拿东西，他们更是发疯地逃窜。

乡下老鼠快要饿死了都还没吃到东西，他失望地对城里老鼠说："亲爱的，这里时时刻刻都有那么多危险，我宁愿回到那贫穷的土地去吃小树根，也不想再提心吊胆了！"

想一想

乡下的老鼠为什么跟着城里的老鼠进城？城里的老鼠过着怎样的生活？你从这个故事中获得了怎样的启示？

____

饥饿的狗

有几只悠闲的野狗，他们没事做，每天都在草原上游荡。他们很懒，没什么本事，只能捡些残渣剩饭吃。

那天，他们在草原上溜达了半天也没找到半根骨头。他们来到一条小河边，这时肚子又“咕咕”地叫了起来，没办法，他们只好喝几口河水。

这时，一只白狗兴奋地说：“看哪！河中间漂来一张牛皮呢！我们的午餐来了。”

“真的，真是一张牛皮！牛皮的味道可是非常美的呀！可是有些远，够不到。”黄狗说。

“是呀，一定得想办法让它漂过

来。”黑狗说。狗们开始兴奋地够牛皮。他们先用爪子捞，可是怎么也够不到。他们又找来树枝，短的够不到，就去找长的。

狗们筋疲力尽地躺在岸边休息。

这时，白狗突然说：“我想到办法了，我们可真傻，其实有一种办法可以让我们不用这么费劲地捞。”

“什么办法？你赶紧说说看。”其他狗们急忙问。

“很简单！”白狗自信地说，“我们只要把河水喝干，再拿牛皮不就容易了吗？”

“太对了！”

“太聪明了！”

其他几只狗说着，便趴到河边大口大口地喝起水来。

结果是可想而知的，几只狗把肚子都喝得胀破了，可河水似乎一点儿也没减少。

你们说，他们是不是聪明的狗呢？

猫和梭子鱼

从前，在水草茂盛的池塘里住着一条梭子鱼，池塘岸边住着一只猫。

这天，梭子鱼吃得饱饱的，悠闲地在水里游来游去。

住在池塘岸边的猫刚刚吃了点儿鼠肉，到池塘边喝水。梭子鱼懒洋洋地对他说：“喂，猫老兄，鼠肉好不好吃呀？”猫笑了笑说：“当然非常好吃了。”

梭子鱼眼睛亮晶晶的，认真地说：“鼠肉真的那么好吃吗？我也想尝尝到底是什么味道。今晚，我跟你一起去粮仓，我也捉几只老鼠尝尝吧！”

猫一听，乐了，说：“鱼兄弟，别开玩笑了，你是鱼，必须生活在水里的，你不能离开水去捉老鼠的。”

梭子鱼拍着胸脯说：“猫兄弟，你别小看我，我很勇敢的，我能打败池塘里那条狡猾的鲈鱼呢！我不怕离开水，你就让我跟你去吧！”

猫没有办法说服他，只好答应了。

夜里，猫把梭子鱼带进了粮仓，让他在一个角落里埋伏了下来，自己跑到另一个角落里藏着，等待老鼠出来。

这一夜，猫把偷粮食的所有老鼠都捉住了。他决定去看看梭子鱼。他来到角落里，可怜的梭子鱼已经快不行了。离开了水的梭子鱼躺在地上一动不动，他的尾巴还让老鼠啃去了一截。

猫赶紧把梭子鱼背回池塘里，回到水里的梭子鱼慢慢恢复了一点儿力气。猫松了一口气，说：“这回吃到苦头了吧，要吸取教训！鱼儿是不能离开水的。你看，你不听我的劝告，差点儿害死自己。”

lǎo shǔ hé huáng shǔ láng
老鼠和黄鼠狼

lǎo shǔ hé huáng shǔ láng dǎ de bù kě kāi jiāo tā men chuān zhe huà shù pí kuī jiǎ
老鼠和黄鼠狼打得不可开交，他们穿着桦树皮盔甲，
shǒu li wǔ dòng zhe sōng shù zhī cháng máo nǐ cì wǒ wǒ cì nǐ xiě dōu liú chéng le yì
手里舞动着松树枝长矛，你刺我，我刺你，血都流成了一
tiáo hé
条河。

měi cì dōu shì huáng shǔ láng huò shèng tā men káng zhe zhàn lì pǐn gāo gāo xìng xìng de hēng
每次都是黄鼠狼获胜，他们扛着战利品，高高兴兴地哼
zhe gē huí qu
着歌回去。

zài lǎo shǔ de shān dòng li shòu shāng de xiǎo lǎo shǔ men kě lián xī xī de
在老鼠的山洞里，受伤的小老鼠们可怜兮兮地
kū hǎn zhe yè wǎn yì qún lǎo shǔ wéi zài yóu dēng xia shāng liang zhe
哭喊着。夜晚，一群老鼠围在油灯下商量着，
tā men xuǎn chu le yí wèi cōng míng yǒng měng de lǎo
他们选出了一位聪明勇猛的老
shǔ zuò jiāng jūn hái bǎ shì bīng men pái de
鼠做将军，还把士兵们排得
zhěng zhěng qí qí de
整整齐齐的。

dì èr tiān jiāng jūn tóu zā
第二天，将军头扎
zhe gān cǎo hǎo ràng suǒ yǒu de shì
着干草，好让所有的士
bīng dōu néng kàn jiàn tā zhàng gāng kāi shǐ
兵都能看见他。仗刚开始
dǎ lǎo shǔ men jiù diū le bīng qì bài xià
打，老鼠们就丢了兵器败下

阵来，大家急急忙忙往洞里冲，老鼠将军也跟着大家一起往回跑。

老鼠士兵全进去了，可老鼠将军头扎着干草，被洞门给挡住了。他摔倒在地上，让黄鼠狼士兵给抓了起来。

黄鼠狼要杀掉他的时候，他叹了一口气，说：“我是老鼠将军，有这么高的荣誉，可它带给我的却是极大的危险哪！”

我的读后感
老鼠将军的干草没有帮助他，反而害了他。由于虚荣心，老鼠将军丢掉了性命，我们绝不能像他一样。

hú li hé shī zi
狐狸和狮子

sēn lín li lái le yì zhī hú li tā tīng shuō zhè piàn sēn lín shǔ yú yì tóu shī zi
森林里来了一只狐狸，他听说这片森林属于一头狮子。
tā cóng lái méi jiàn guo shī zi zhǐ tīng shuō tā fēi cháng xiōng měng
他从来没见过狮子，只听说他非常凶猛。

zhōng yú zài bǎi shòu dà huì shang hú li kàn jiàn le shī zi tā xià de shuāng tuǐ
终于，在百兽大会上，狐狸看见了狮子。他吓得双腿
fā dǒu xiàng bèi dìng zài dì shang yí yàng dòng tan bu de
发抖，像被钉在地上一样，动弹不得。

yì tiān hú li zài lù shang yù jiàn le shī
一天，狐狸在路上遇见了狮
zi suī rán hěn hài pà dàn shì gèng zhèn
子，虽然很害怕，但是更镇
jìng děng shī zi yuǎn qù tā yě qiāo qiāo
静。等狮子远去，他也悄悄
de zǒu le
地走了。

hú li dì sān cì kàn dào shī zi de shí
狐狸第三次看到狮子的时
hou yǐ jīng bù zěn me hài pà le hái zhǔ
候，已经不怎么害怕了，还主
dòng hé shī zi dǎ zhāo hu liáo tiān
动和狮子打招呼、聊天。

yuán lái duì yí ge dōng xi shú
原来，对一个东西熟
xi yǐ hòu jiù bú zài nà
悉以后，就不再那
me máng mù de hài pà le
么盲目地害怕了。

liè gǒu hé hú li
猎狗和狐狸

liè gǒu hé hú li shì hǎo péng you
猎狗和狐狸是好朋友。

yǒu yì tiān liè gǒu hé hú li yuē chu lai jiàn miàn hú li wèn liè gǒu liè gǒu
有一天，猎狗和狐狸约出来见面。狐狸问猎狗：“猎狗

péng you nǐ zuì jìn zài máng xiē shén me ne
朋友，你最近在忙些什么呢？”

yě méi máng shén me zhǐ shì měi tiān jiāo shī zi bǔ liè bà
“也没忙什么，只是每天教狮子捕猎罢

le liè gǒu zhǐ gāo qì yáng
了！”猎狗**趾高气扬**（形容骄傲自大、自命

de shuō
不凡的样子）地说。

shén me jiāo shī zi nà nǐ bú jiù shì
“什么？教狮子？那你不就是

shī zi de lǎo shī le hú li bù gǎn xiāng xìn
狮子的老师了？”狐狸不敢相信

zì jǐ de ěr duo
自己的耳朵。

zhè yǒu shén me liǎo bu qǐ de jiǎ
“这有什么了不起的，假

rú shī zi jiàn le wǒ yí dìng huì kè ke
如狮子见了我，一定会客客

qī qī de gěi wǒ jū ge
气气地给我鞠个

gōng ne liè gǒu yuè
躬呢！”猎狗越

chuī yuè lí pǔ le
吹越离谱了。

shuō lai yě qiǎo　jiù zài zhè shí　yì tóu shī zi qià qiǎo xiàng tā men zǒu lai
说来也巧。就在这时，一头狮子恰巧向他们走来。

hú li zhǐ zhe shī zi duì liè gǒu shuō　zūn jìng de lǎo shī　nǐ kàn na　nǐ de
狐狸指着狮子对猎狗说：“尊敬的老师，你看哪，你的
xué sheng lái le　nǐ shàng qián děng dài tā xiàng nǐ jū gōng ba
学生来了，你上前等待他向你鞠躬吧！”

liè gǒu xīn li hài pà jí le　tā duō duo suō suō de xiàng shī zi zǒu qu　biān zǒu biān
猎狗心里害怕极了。他哆哆嗦嗦地向狮子走去，边走边
zì wǒ ān wèi dào　lǎo tiān bǎo yòu wa　bǎo yòu zhè tóu shī zi shì ge xiā zi ba　dàn
自我安慰道：“老天保佑哇，保佑这头狮子是个瞎子吧。但
yuàn tā kàn bu jiàn wǒ
愿他看不见我……”

liè gǒu de rú yì suàn pan hái méi dǎ wán　shī zi jiù yǐ jīng fā xiàn le tā
猎狗的如意算盘还没打完，狮子就已经发现了他。
áo　shī zi dà hǒu le yì shēng　liè gǒu xià de diào tóu jiù pǎo　yí liù yān gōng fu
“嗷——”狮子大吼了一声，猎狗吓得掉头就跑，一溜烟工夫
jiù táo de wú yǐng wú zōng le
就逃得无影无踪了。

hú li duǒ zài yì páng　wǔ zhe zuǐ dà xiào　shuō　zhè ge dǎn xiǎo guǐ　shī zi
狐狸躲在一旁，捂着嘴大笑，说：“这个胆小鬼！狮子
zhǐ shì hǒu le yì shēng　jiù bǎ tā xià de hún dōu méi le　hái gǎn chuī niú shuō zì jǐ shì shī
只是吼了一声，就把他吓得魂都没了，还敢吹牛说自己是狮
zi de lǎo shī ne
子的老师呢！”

想一想

在猎狗吹牛的时候，谁来了？猎狗在狮子的面前表现如何？你如何看待猎狗？

____

gǒu hé chú shī
狗和厨师

zài yí ge xiǎo zhènshang yǒu yì jiā xiǎo cān guǎn shēng yi tǐng xīng lóng
在一个小镇上，有一家小餐馆，生意挺兴隆。

yǒu yì tiān chú shī cóng shì chǎngshang mǎi hui yì zhī xiān nèn de féi yáng jiù zài chú
有一天，厨师从市场上买回一只鲜嫩的肥羊，就在厨
fáng li máng huo le qǐ lái tā bǎ yáng xīn yáng fèi yáng gān děng fàng zài zào tái shang de
房里忙活了起来。他把羊心、羊肺、羊肝等放在灶台上的
yí ge gān jìng de hé zi li jiù kāi shǐ duò yáng tuǐ le
一个干净的盒子里，就开始剁羊腿了。

zhèngdāng chú shī máng huo de shí hou yì tiáo gǒu qiāo qiāo de liū jin le chú fáng tā diāo
正当厨师忙活的时候，一条狗悄悄地溜进了厨房。他叼
qi yáng xīn sā tuǐ jiù pǎo chú shī yí kàn gǒu tōu zǒu le yáng xīn jí máng huī qi dāo biān
起羊心撒腿就跑。厨师一看狗偷走了羊心，急忙挥起刀，边
zhuī biān hǎn zhàn zhù kuài zhàn zhù kě shì nà tiáo gǒu táo de kě kuài le bù
追边喊：“站住！快站住！”可是，那条狗逃得可快了，不
yí huìr jiù táo de wú yǐng wú zōng le
一会儿就逃得无影无踪了。

chú shī qì fèn de shuō huài jiā huo wǒ kě kàn qīng chu nǐ le cóng jīn yǐ
厨师气愤地说：“坏家伙，我可看清楚你了，从今以
hòu wú lùn nǐ zǒu dào nǎ li wǒ dōu huì dī fang zhe nǐ jīn tiān nǐ suī rán tōu zǒu
后，无论你走到哪里，我都会提防着你。今天，你虽然偷走
le yì kē yáng xīn dàn shì yě ràng wǒ duì nǐ yǒu le jiè xīn
了一颗羊心，但是也让我对你有了戒心。”

láng hé gǒu
狼和狗

cóng qián yǒu yì zhī gǒu shǒu zài zhǔ rén de wū qián shuì jiào
从前，有一只狗守在主人的屋前睡觉。

tā shì yì zhī jī jǐng de gǒu duì zhǔ rén fēi cháng zhōng xīn
他是一只机警的狗，对主人非常忠心。

yè li tū rán lái le yì zhī láng
夜里，突然来了一只狼。

láng è hěn hěn de bǎ gǒu àn zài dì shang zhāng kai dà zuǐ lù chu le jiān lì de yá chǐ
狼恶狠狠地把狗按在地上，张开大嘴，露出了尖利的牙齿。

láng xiān sheng nǐ zhè shì gàn shén me gǒu bù huāng bù máng de wèn
“狼先生，你这是干什么？”狗不慌不忙地问。

hā hā xiǎo shǎ guā wǒ jīn tiān yì tiān méi chī fàn le wǒ yào chī le nǐ láng è hěn hěn de shuō kǒu shuǐ dōu liú chu lai le
“哈哈，小傻瓜，我今天一天没吃饭了，我要吃了你！”狼恶狠狠地说，口水都流出来了。

gǒu xiǎng le yí huìr shuō nǐ yào chī wǒ jīn tiān kě bú shì shí hou
狗想了一会儿，说：“你要吃我，今天可不是时候。”

shén me shí hou cái shì shí hou ne láng hào qí de wèn
“什么时候才是时候呢？”狼好奇地问。

gǒu xiào xī xī de shuō nǐ kàn zài guò jǐ tiān wǒ de zhǔ rén jiù yào jié hūn le dào le jié hūn nà tiān zhǔ rén yí dìng huì qǐng hǎo duō qīn péng hǎo yǒu guò lai cān jiā tā de hūn lǐ tā kěn dìng hái huì dà bǎi yàn xí dào le nà ge shí hou zhǔ rén huì gěi wǒ hǎo duō ròu chī hǎo duō gǔ tou kěn nà shí wǒ jiù huì zhǎng de bái bái pàng pàng de ròu yě huì gèng jiā xiān měi ér qiě yǒu yíng yǎng bú huì xiàng xiàn zài zhè yàng shòu xiǎo le
狗笑嘻嘻地说：“你看，再过几天，我的主人就要结婚了。到了结婚那天，主人一定会请好多亲朋好友过来参加他的婚礼，他肯定还会大摆宴席。到了那个时候，主人会给我好多肉吃，好多骨头啃。那时，我就会长得白白胖胖的，肉也会更加鲜美，而且有营养，不会像现在这样瘦小了。”

nǐ bú piàn wǒ
“你不骗我？”

láng rèn zhēn de wèn dào
狼认真地问道。

wǒ zěn me huì piàn nǐ ne wǒ men gǒu lèi shì zuì jiǎngchéng xìn de dòng wù gēn ài
“我怎么会骗你呢？我们狗类是最讲诚信的动物，跟爱
shuō jiǎ huà de hú li kě bù yí yàng
说假话的狐狸可不一样。”

nà hǎo ba wǒ yě bú pà nǐ piàn wǒ rú guǒ nǐ zhēn de sā huǎng wǒ huì zhǎo
“那好吧，我也不怕你骗我，如果你真的撒谎，我会找
wǒ de péng you yì qǐ lái chī diào nǐ
我的朋友一起来吃掉你。”

láng xiāng xìn le gǒu de huà
狼相信了狗的话。

jǐ tiān hòu de yí ge yè wǎn láng lái le tā zài wū qián wū hòu zhǎo le lǎo bàn
几天后的一个夜晚，狼来了。他在屋前屋后找了老半
tiān yě méi zhǎo dào gǒu tā shēng qì de zài dì shang zǒu lái zǒu qù
天，也没找到狗。他生气地在地上走来走去。

wèi láng nǐ yào zhǎo wǒ ma
“喂，狼，你要找我吗？”

gǒu zài wū dǐng shang chòng láng jiào dào
狗在屋顶上冲狼叫道。

nǐ xià lai ya nǐ qián jǐ tiān bú shì ràng wǒ lái chī nǐ ma
“你下来呀！你前几天不是让我来吃你吗？”

gǒu xiào le xiào shuō nǐ yǐ wéi wǒ hái zhēn de huì chī pàng le ràng nǐ chī ya nà
狗笑了笑说：“你以为我还真的会吃胖了让你吃呀！那
wǒ qǐ bú shì chéng shǎ zi le wǒ xiàn zài bú zài wū qián shuì jiào le gǎi wéi zài wū dǐng shuì
我岂不是成傻子了！我现在不在屋前睡觉了，改为在屋顶睡
jiào le bú guò yú bèn de láng wǒ gào su nǐ yǐ hòu nǐ zài kàn dào wǒ zài wū qián
觉了。不过，愚笨的狼，我告诉你，以后你再看到我在屋前
shuì jiào jiù bú yòng zài děng hūn lǐ le shǎ guā
睡觉，就不用再等婚礼了，傻瓜！”

chú shī hé māo

厨师和猫

yǒu ge chú shī tè bié chū míng tā bù jǐn zuò de cài fēi cháng hǎo chī ér qiě hái tè
有个厨师特别出名，他不仅做的菜非常好吃，而且还特
bié yuàn yì bāng zhù bié rén
别愿意帮助别人。

yì tiān yǒu yì jiā rén bàn xǐ shì tā men qǐng zhè wèi chú shī qù zuò cài lín
一天，有一家人办喜事，他们请这位厨师去做菜。临
zǒu zhī qián chú shī xiǎng qi gāng mǎi de jī yā yú hé gāng
走之前，厨师想起刚买的鸡、鸭、鱼和刚
gāng zuò de gāo diǎn xiǎo nǚ ér zuì xǐ huan chī le lǎo shǔ yě
刚做的糕点，小女儿最喜欢吃了，老鼠也
zuì xǐ huan tōu chī tā men na
最喜欢偷吃它们哪。

chú shī jiā de māo cǐ shí zhèng zài shā fā shang
厨师家的猫此时正在沙发上
zuò zhe xiāng tián de měi mèng chú shī bǎ māo jiào
做着香甜的美梦。厨师把猫叫
xǐng zhǐ zhe nà xiē shí wù shuō jīn tiān
醒，指着那些食物说："今天
nǐ kě bù zhǔn shuì lǎn jiào le kuài dǎ qǐ jīng
你可不准睡懒觉了。快打起精
shen lai zhuō shang de nà xiē hǎo chī de
神来，桌上的那些好吃的，
nǐ kě yào kān jǐn le tè
你可要看紧了。特
bié shì nà xiē gāo diǎn
别是那些糕点，
qiān wàn bié ràng tǎo yàn
千万别让讨厌

的老鼠偷吃了呀！”

猫擦了擦睡眼，不耐烦地说：“我听到了，您放心吧，主人！”厨师这才放心地走了。

在办喜事的那户人家里，厨师拿出了他的真本事，做了非常可口的饭菜，主人、客人都连连称赞。主人更是对厨师谢了又谢。

厨师回到家中，朝屋里一看，不由得惊呆了：桌上的鸡、鸭、鱼全都不见了，糕点也撒得满地都是。

“猫呢？说好让我放心，现在到哪里去了呢？”厨师一边念叨，一边四处寻找猫。突然，他听见餐桌下面有吃东西的声音，他以为是可恶的老鼠在偷吃，气呼呼地冲过去，要好好儿教训教训老鼠。可是他掀起桌布一看，分明是那只大懒猫正在啃鸡腿。

“你这只馋猫！我辛苦供养你，你这么做对得起我吗？”厨师生气极了，大骂起来。

可是，猫呢，他跟没听见似的，继续啃着鸡腿。猫吃饱了，抹抹嘴，伸了个懒腰，又跳到沙发上睡大觉去了。

狮子让牛家内讧

一头公牛很幸运地跟一头母牛走在了一起，后来他们生下了三头小牛，小牛们一个个都长得很健壮。

苦难的日子难熬，度日如年；欢乐的岁月易过，一年仿佛一日。不知不觉，小牛们长大了，牛爸爸先行死去，牛妈妈也渐渐衰老了。

有一天，牛妈妈将三个孩子叫到身边，叮嘱说：

“我老了，不久就会离开你们。趁着我现在还有口气，有些话要告诉你们，你们千万不可忘记。草原上猛兽不少，有豹子，尤其是狮子，都是我们的劲敌，你们兄弟不可分开，只有这样狮子才奈何不了你们。一旦你们分开，狮子就会将你们一个个吃掉。”

老母牛说完就死了。小牛们牢记母亲的教导，形影不离地生活在一起，日子过得很和睦，深得邻居们的称赞。

一头狡猾贪婪的狮子来到草原上。他贪婪地捕食小动

物，吓得小羊、小鹿、野兔等弱小动物纷纷搬到小牛三兄弟的家园附近躲避灾难。小牛三兄弟心地善良，见义勇为，容不得邪恶势力在他们面前嚣张。狮子每次来袭击小动物，都被雄壮的小牛兄弟给赶走了。

狮子猎食不成，心中万分恼怒，对小牛三兄弟恨得咬牙切齿。狮子冥思苦想了好几天，想出了一条毒计，那就是想办法**挑拨**（播弄是非，使产生分歧）小牛三兄弟，让他们不再和睦，然后一一吃掉他们。

深秋时分，百草枯黄。狮子储存了一堆鲜草，他拿出一部分送给大牛，说：“这是送给你的，请笑纳。”

大牛见是鲜草，毫不思索地吃掉了。

第二天，狮子对二牛和三牛说：“昨天，我送鲜草给你们三兄弟，委托大牛带给你们，不知是否可口？”

二牛和三牛被问得莫明其妙，齐声表示没见过什么鲜草。狮子挑拨说，可能是让大牛独吞了。这时，二牛、三牛很不高兴。

狮子见自己的毒计初步奏效，很是高兴。

二牛、三牛找到了大牛，质问鲜草的事。

大牛说：“你们不能上当，他只说将鲜草送给我，并没说有你们的份儿。”

二牛和三牛不相信大牛的话，最后大牛气得独自走了。狮子的毒计让小牛三兄弟不再和睦。最后狮子先后把三头牛都吃掉了。

lǘ hé bār gǒu
驴和巴儿狗

cóng qián yí ge rén yǒu yì tóu xiǎo lǘ hé yì zhī piào liang de bār gǒu
从前，一个人有一头小驴和一只漂亮的巴儿狗。

xiǎo lǘ zhù zài xiǎo mù lán li yǒu xǔ duō yàn mài hé gān cǎo chī hé bié de lǘ yí yàng tā měi tiān dōu yǒu xǔ duō huó yào gàn cóng sēn lín tuó mù tou huí jiā cóng nóng chǎng tuó liáng shi dào jí shì shang qù
小驴住在小木栏里，有许多燕麦和干草吃。和别的驴一样，他每天都有许多活要干：从森林驮木头回家，从农场驮粮食到集市上去。

bār gǒu què bù tóng tā shén me shì yě bú gàn dàn huì wán hěn duō yóu xì zhǔ rén xǐ huan de bù dé liǎo
巴儿狗却不同，他什么事也不干，但会玩很多游戏，主人喜欢得不得了。

xiǎo lǘ mán yuàn zì jǐ mìng yùn bù hǎo tā jué dìng xué xue bār gǒu jìn xíng xiē gǎi biàn
小驴埋怨自己命运不好，他决定学学巴儿狗，进行些改变。

yì tiān xià wǔ chuāng wài sǎ jin nuǎn nuǎn de yáng guāng zhǔ rén kào zài shā fā shang bì mù yǎng shén zhè shí xiǎo lǘ měng de chōng le jìn lái pīn mìng de luàn bèng luàn tiào hái xué zhe bār gǒu de yàng zi shǐ jìn jiào huan
一天下午，窗外洒进暖暖的阳光，主人靠在沙发上闭目养神。这时，小驴猛地冲了进来，拼命地乱蹦乱跳，还学着巴儿狗的样子使劲叫唤。

tā hái xiǎng qīn nì de tiǎn yi
他还想亲昵地舔一

舔主人，便跳到他的背上去。

仆人们看见主人遇到了生命危险，连忙跑去解救。可怜的小驴被打得半死，轰回了小木栏里。

“唉，都怪我！为什么我不满足于自己的生活，而要去学巴儿狗整日偷懒呢！”

要知道，同样的事情并不一定适合于所有的人。

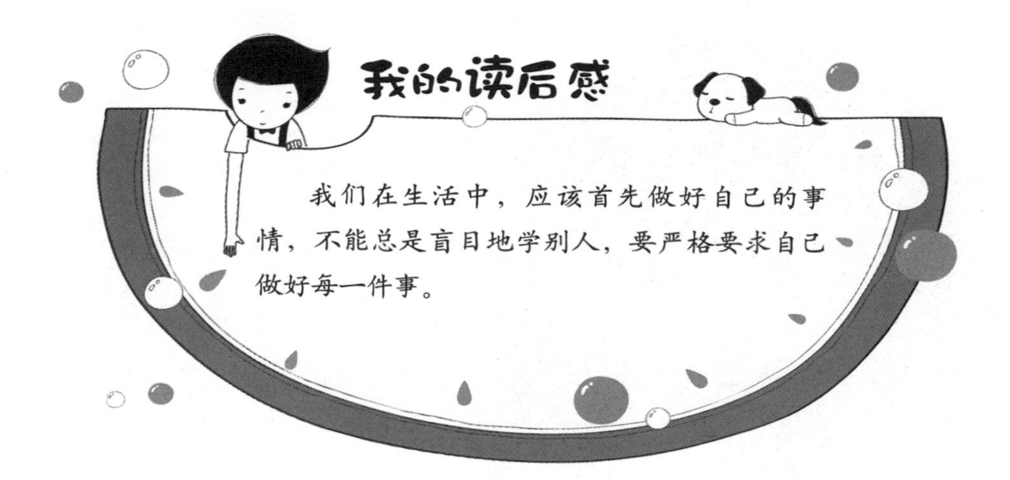

我的读后感
我们在生活中，应该首先做好自己的事情，不能总是盲目地学别人，要严格要求自己做好每一件事。

lǎo shǔ hé māo

老鼠和猫

cóng qián yǒu yí hù rén jiā jiā li de liáng cāng zhōng yǒu hěn duō lǎo shǔ
从前，有一户人家，家里的粮仓中有很多老鼠。

cǐ wài jiā li hái yǒu yì zhī māo zhè shì yì zhī fēi cháng cōng míng de māo tā
此外，家里还有一只猫，这是一只非常聪明的猫。他

tōng guò guān chá fā xiàn le liáng cāng li de zhè xiē lǎo
通过观察，发现了粮仓里的这些老

shǔ xīn xiǎng wǒ yí dìng yào zhuō zhù tā
鼠，心想：我一定要捉住他

men bǎ tā men quán bù xiāo miè diào
们，把他们全部消灭掉。

yú shì māo biàn duǒ zài yǐn
于是，猫便躲在隐

bì chù yì fā xiàn lǎo shǔ jiù
蔽处，一发现老鼠，就

zhuā zhù chī diào yì tiān yòu yì tiān guò
抓住吃掉。一天又一天过

qu le lǎo shǔ shǎo le yì zhī yòu
去了，老鼠少了一只又

yì zhī
一只。

lǎo shǔ men fā xiàn zì jǐ de tóng
老鼠们发现自己的同

huǒ zhèng zài yì tiān tiān jiǎn shǎo xīn li
伙正在一天天减少，心里

hěn hài pà jiù dōu duǒ jin dòng xué li bù
很害怕，就都躲进洞穴里不

gǎn chū lai le
敢出来了。

一连好几天，猫都没看到一只老鼠的影子。聪明的猫想：老鼠一定是害怕了，不敢出来。如果我这样等着，是永远捉不到老鼠的，我得想个办法才行。

猫想了好一阵子，终于想出了一条妙计。

猫趴在一根木橛上，吊在上面装死。

一只小老鼠走出了洞口，他小心地左右观望着，害怕遇上猫。他慢慢地在粮仓里走着，忽然发现了装死的猫。小老鼠识破了猫的花招，高高兴兴地回洞报告去了。

过了一会儿，一只大老鼠出来了，他大声地对吊在木橛上装死的猫说："哈哈，伙计，别把我们老鼠都当成笨蛋了，即使你变成一只皮袋，我们也不会到你面前去的。"

老鼠们发现自己的同伴在一天天减少，感觉如何？大老鼠是怎么对待装死的猫的？

____

gǒu hé mǔ zhū
狗和母猪

yì tóu mǔ zhū tǎng zài cǎo dì shang mī zhe yǎn kàn tài yáng páng biān pàng dū dū de
一头母猪躺在草地上，眯着眼看太阳。旁边，胖嘟嘟的

xiǎo zhū wán pí de gǔn lái gǔn qù
小猪顽皮地滚来滚去。

gǒu mā ma dài zhe xiǎo gǒu zǒu guo lai le tā kàn kan xiǎo zhū zài mō mo xiǎo gǒu de
狗妈妈带着小狗走过来了，她看看小猪，再摸摸小狗的

tóu dé yì de shuō zhū mā ma nǐ kàn bǐ qǐ nǐ de pàng xiǎo zhū lai wǒ de
头，得意地说：“猪妈妈，你看，比起你的胖小猪来，我的

xiǎo bǎo bao shì duō me tǎo rén xǐ huan na
小宝宝是多么讨人喜欢哪！”

mǔ zhū bù huāng bù máng
母猪不慌不忙

de huí dá wǒ kě bú
地回答：“我可不

zhè me rèn wéi wǒ de hái zi
这么认为。我的孩子

shēng xia lai jiù kě yǐ kàn dào
生下来就可以看到

dōng xi ér nǐ de hái zi
东西，而你的孩子

shēng xia lai shí què méi bàn fǎ zhēng
生下来时，却没办法睁

kai yǎn jing ne
开眼睛呢。”

hóu zi hé māo

猴子和猫

yòu yì nián de dōng tiān lái dào le yì cháng cháng dà xuě zǎo yǐ fù gài le zhěng gè sēn lín

又一年的冬天来到了，一场场大雪早已覆盖了整个森林。

zhè tiān yòu yì cháng dà xuě jiàng lín le cāng cāng máng máng de jī xuě bǎ tiān dì lián chéng le yí piàn fēng cóng jié bīng de hé miàn guā lai chuān suō zài pū mǎn xuě huā de shù zhī jiān

这天，又一场大雪降临了，苍苍茫茫的积雪把天地连成了一片。风从结冰的河面刮来，穿梭在铺满雪花的树枝间。

kuài dào zhōng wǔ le hóu zi hé māo cái qǐ chuáng tā men zǒng shì zhè me lǎn kào xiǎo tōu xiǎo mō shēng huó zhe wū li shén me dōu méi yǒu le yú shì tā men zhǐ hǎo chū mén tōu dōng xi chī fēng zuān jin tā men de ěr duo bǐ tūn xia yí kuài bīng hái nán shòu tā men dòng de hún shēn zhí duō suo yuǎn chù yǒu ge huǒ duī rán de zhèng wàng tā men fēi kuài de pǎo guo qu qǔ nuǎn yuán lái lǐ miàn zhèng kǎo zhe hǎo duō bǎn lì bǎn lì bào de pī lǐ pā lā de xiǎng

快到中午了，猴子和猫才起床。他们总是这么懒，靠小偷小摸生活着。屋里什么都没有了，于是他们只好出门偷东西吃。风钻进他们的耳朵，比吞下一块冰还难受，他们冻得浑身直哆嗦。远处，有个火堆燃得正旺，他们飞快地跑过去取暖。原来里面正烤着好多板栗，板栗爆得“噼里啪啦”地响。

jīn tiān zán liǎ bú yòng ái è le hóu zi shuō dào māo lǎo dì nǐ de zhuǎ zi zuì lì hai tōu zhè ge dōng xi duì nǐ lái shuō tài jiǎn dān le

“今天咱俩不用挨饿了。”猴子说道，“猫老弟，你的爪子最厉害，偷这个东西对你来说太简单了。”

māo píng shí zǒng bèi hóu zi cháo xiào bèn jīn tiān jìng rán dé dào le chēng zàn yú shì jué

猫平时总被猴子嘲笑笨，今天竟然得到了称赞，于是决

dìng dà xiǎn yì fān shēnshǒu tā dà bǎ dà bǎ de cóng huǒ duī li bō chu bǎn lì zhuǎ zi bèi
定大显一番身手。他大把大把地从火堆里拨出板栗，爪子被
shāo de zhí xiǎng
烧得直响。

māo tàng de mǎn tóu dà hàn děng tā pāi pai shuāngshǒu zhǔn bèi hé hóu zi yì qǐ xiǎng
猫烫得满头大汗，等他拍拍双手，准备和猴子一起享
yòng bǎn lì shí què fā xiàn dì shang chú le yì duī bǎn lì ké wài shén me dōu méi yǒu le
用板栗时，却发现地上除了一堆板栗壳外，什么都没有了。

我的读后感
对待真诚的朋友要真心，对待虚伪的朋友
要谨慎。

wū yā hé dà yā
乌鸦和大鸦

shān lín zhōng yǒu yì zhī shēn tǐ tè bié zhuàng de
山林中，有一只身体特别壮的
wū yā tā de gē shēng yě tè bié xiǎng liàng suǒ
乌鸦，他的歌声也特别响亮。所
yǐ tā jiāo ào jí le kàn shuí dōu bú
以，他骄傲极了，看谁都不
shùn yǎn
顺眼。

dà yā shēng huó zài gāo shānshang
大鸦生活在高山上。
tā men yí gè gè dōu zhǎng de tǐng zhuàng
他们一个个都长得挺壮
shi shēng yīn yě hěn bú yì bān wū yā
实，声音也很不一般。乌鸦
kàn jiàn le xīn xiǎng wǒ cái bù hé pǔ
看见了，心想：我才不和普
tōng de wū yā wéi wǔ ne rú guǒ wǒ néng
通的乌鸦为伍呢！如果我能
jiā rù dà yā de háng liè zhōng nà cái
加入大鸦的行列中，那才
fēngguang ne
风光呢。

yú shì wū yā lí kāi le
于是，乌鸦离开了
jiā qiāo qiāo de hùn jin dà yā tuán tǐ zhōng
家，悄悄地混进大鸦团体中
le gāng kāi shǐ jǐ tiān dà yā men bìng méi
了。刚开始几天，大鸦们并没

yǒu fā xiàn tā dào le chī fàn de shí jiān hái fēn gěi tā yí fèn fàn
有发现他，到了吃饭的时间，还分给他一份饭。

jǐ tiān guò hòu wū yā yǐ wéi dà yā men yǐ jīng jiē nà le tā jiù kāi shǐ dé yì
几天过后，乌鸦以为大鸦们已经接纳了他，就开始得意
qi lai wā wā de chàng qi le gēr dà yā men yì tīng cái zhī dào tā shì
起来，“哇哇”地唱起了歌儿。大鸦们一听，才知道他是
yì zhī hùn jin lai de wū yā yú shì fēn fēn yōngshang lai yòng jiān zuǐ zhuó tā
一只混进来的乌鸦，于是纷纷拥上来，用尖嘴啄他。

wū yā wú fǎ zài dà yā qún li dāi xia qu le tā zhǐ hǎo yòu huí dào wū yā qún
乌鸦无法在大鸦群里待下去了，他只好又回到乌鸦群
zhōng wū yā men kàn jiàn tā biàn wèn wèi nǐ bú shì yǐ jīng chéng wéi yì zhī dà yā le
中。乌鸦们看见他便问：“喂，你不是已经成为一只大鸦了
ma hái huí lai gàn shén me ya
吗？还回来干什么呀？”

wǒ shì xiǎng jiā rù dà yā de háng liè ya dàn tā men bù kěn yào wǒ ya wū
“我是想加入大鸦的行列呀，但他们不肯要我呀！”乌
yā zhǐ hǎo shí huà shí shuō
鸦只好实话实说。

nǐ jì rán qiáo bu qǐ wǒ men jiù bù yīng gāi huí lai wū yā men dōu hěn shēng
“你既然瞧不起我们，就不应该回来。”乌鸦们都很生
qì yě yì qǐ shàngqián zhuó tā
气，也一起上前啄他。

kě lián de wū yā wú jiā kě guī le tā zhǐ hǎo dào chù liú làng rì zi guò de cǎn
可怜的乌鸦无家可归了，他只好到处流浪，日子过得惨
jí le
极了。

想一想

乌鸦为什么想加入大鸦的团队？乌鸦为什么被乌鸦群排斥？

yīng
鹰

yǒu yì zhī yīng zài yí zuò shān de xuán yá shang ān le jiā zhè li fēi cháng ān
有一只鹰，在一座山的悬崖上安了家。这里非常安
quán ér qiě yīn wei wèi zhi hěn gāo suǒ yǐ kě yǐ qīng chu de kàn dào zhōu wéi de qíng kuàng
全，而且因为位置很高，所以可以清楚地看到周围的情况。
zhè yàng tā bǔ huò shí wù jiù gèng fāng biàn le
这样他捕获食物就更方便了。

yì tiān yīng zhàn zài yí kuài shí tou shang
一天，鹰站在一块石头上
xiàng sì chù guānwàng tā kàn dào yì zhī tù zi
向四处观望。他看到一只兔子
cóng jiā li chū lai zhèng bèng bèng
从家里出来，正蹦蹦
tiào tiào de xún zhǎo shí wù ne yīng
跳跳地寻找食物呢。鹰
gāo xìng jí le xīn xiǎng jīn tiān de
高兴极了，心想：今天的
wǔ cān zhēn fēng shèng a kě yǐ
午餐真丰盛啊！可以
měi měi de chī yí dùn xiān nèn
美美地吃一顿鲜嫩
de tù ròu le
的兔肉了。

yīng fēi shang gāo kōng
鹰飞上高空，
xiàng jìn xíng jūn shì yǎn xí de
像进行军事演习的
zhàn dòu jī yí yàng fēi le
战斗机一样，飞了

两圈，眼睛紧紧地盯着兔子。可怜的兔子，他只顾找食物，还不知道危险呢。

鹰把握最佳时机，箭一般地飞向地面，用他尖锐有力的爪，一下子抓住了兔子。兔子拼命地挣扎呼救，可是又有什么用呢？

正在这时，从远处走过来一个猎人。猎人迅速拉弓搭箭，瞄准鹰一箭射过去，正射中鹰的胸膛。鹰看了一眼那根带有鹰的羽毛的箭杆，伤心地说：“猎人用鹰的羽毛做成箭射我。我死在了同族的羽毛下，多么冤枉啊！”

想一想

鹰想把什么当作午餐？就在鹰抓住兔子时，谁出现了？你感悟到了什么道理？

shī zi hé tù zi

狮子和兔子

gū lū shī zi de dù zi yǐ jīng jiào sān cì le tā dào chù sōu xún zhe
“咕噜……”狮子的肚子已经叫三次了，他到处搜寻着
shí wù hū rán yǎn qián yí liàng tā kàn dào le yì zhī zhèng zài shú shuì de tù zi xiǎo tù
食物，忽然眼前一亮，他看到了一只正在熟睡的兔子。小兔
zi máo róng róng de quán chéng yì tuán hái shí bù shí de dòng dong fěn hóng sè de cháng ěr duo
子毛茸茸地蜷成一团，还时不时地动动粉红色的长耳朵，
dà gài hái zài zuò měi mèng ne
大概还在做美梦呢。

shī zi yàn yan kǒu shuǐ zhèng yào pū xiàng chén shuì zhōng de tù zi zhè
狮子咽咽口水，正要扑向沉睡中的兔子，这
shí gāng hǎo yǒu yì zhī měi lì de xiǎo gōng lù cóng shī zi de shēn biān pǎo
时刚好有一只美丽的小公鹿从狮子的身边跑
guo kàn dào lù shī zi lì kè gǎi biàn le fāng xiàng
过。看到鹿，狮子立刻改变了方向，
xiàng lù zhuī le guò qù zhuī zhú de shēng yīn bǎ tù zi
向鹿追了过去。追逐的声音把兔子
jīng xǐng le tā kàn dào shī zi xià de dōu yào
惊醒了，她看到狮子，吓得都要
fā dǒu le gǎn kuài táo kai
发抖了，赶快逃开。
hěn kuài tā biàn pǎo yuǎn
很快，她便跑远
le biàn chéng le yí
了，变成了一
ge xiǎo hēi diǎn
个小黑点……

shī zi zhuī zhe gōng
狮子追着公

lù zhuī le hǎo yuǎn tiào guo le bù zhī dào duō shao ge shù zhuāng dàn zuì hòu hái shi méi
鹿，追了好远，跳过了不知道多少个树桩，但最后还是没
néng gǎn shang kàn zhe gōng lù yuè pǎo yuè yuǎn shī zi zhǐ hǎo tàn le kǒu qì huí qu zhǎo nà
能赶上。看着公鹿越跑越远，狮子只好叹了口气，回去找那
zhī shú shuì de tù zi dāng rán tā huí qu yǐ hòu shén me dōu méi yǒu zhǎo dào róu rou kōng
只熟睡的兔子。当然，他回去以后什么都没有找到。揉揉空
kōng de dù zi shī zi hòu huǐ de shuō ài wǒ wèi le zhuī zhú gèng duō de shí wù
空的肚子，狮子后悔地说：“唉，我为了追逐更多的食物，
fǎn ér bǎ dào shǒu de diū diào le ya
反而把到手的丢掉了呀！”

我的读后感

做人不能太贪心，否则想要的东西一个都得不到。学习也是一样，不要设立太多目标，否则一个都达不到。

鹅和鹤

在一片水草丰美的草原上，住着一群鹅和一群鹤。他们都喜欢在水中寻找食物，在岸上孵育宝宝。这片草原成了他们心中最理想的家园。

鹅一年四季都留在这片美丽的家园上。就算是寒冷的冬天来了，他们也能在冰天雪地中找到可口的食物，不用挨饿。他们还长着厚厚的羽毛，所以，再寒冷的天气都不会挨冻。

鹤则不一样。每当秋天，他们会结伴飞到暖和的地方去过冬，第二年春天再回到这里。在

zhè piàn féi měi de cǎo yuánshang hè jiā zú shēng ér yù nǚ zhú jiàn zhuàng dà qi lai dào
这片肥美的草原上，鹤家族生儿育女，逐渐壮大起来。到
le qiū tiān ér nǚ men dōu zhǎng dà le tā men xié dài ér nǚ dào nán fāng qù
了秋天，儿女们都长大了，他们携带儿女到南方去。

yì nián yòu yì nián é hé hè jiù zhè yàng píng jìng de shēng huó zhe dàn shì yì xiǎng
一年又一年，鹅和鹤就这样平静地生活着。但是，意想
bu dào de shì qing fā shēng le yǒu yì tiān kě wù de liè rén fā xiàn le tā men jǐ
不到的事情发生了。有一天，可恶的猎人发现了他们。几
ge liè rén dài zhe liè qiāng lái le cán bào de tā men xiàng é hé hè kāi qiāng le
个猎人带着猎枪来了，残暴的他们向鹅和鹤开枪了。

qiāng shēng yì xiǎng hè jiù zhāng kai chì bǎng qīng yíng de fēi shang le tiān kōng bǎo zhù
枪声一响，鹤就张开翅膀，轻盈地飞上了天空，保住
le xìng mìng kě shì é ne yóu yú tā men chī de féi féi de shēn tǐ tài bèn zhòng wú
了性命；可是鹅呢，由于他们吃得肥肥的，身体太笨重，无
lùn zěn yàng shān chì bǎng yě fēi bu qǐ lái jié guǒ quán bèi liè rén zhuā zhù le
论怎样扇翅膀，也飞不起来，结果全被猎人抓住了。

suǒ yǐ jīn tiān wǒ men néng gòu kàn dào hè zài tiān kōng zhōng zì yóu de fēi xiáng zhe
所以，今天我们能够看到，鹤在天空中自由地飞翔着；
ér é zhǐ néng bèi rén men juàn yǎng zhe
而鹅，只能被人们圈养着。

我的读后感
安逸的生活容易使人失去斗志，生活本领也会逐渐退化；艰苦的生活使人斗志昂扬，生活本领也会越来越强。

rēng dù zi de xiǎo nán hái

扔肚子的小男孩

cóng qián yǒu ge rén zǎi le tóu niú zuò wéi jì shén de gòng pǐn yāo qǐng lín jū dōu qù
从前，有个人宰了头牛作为祭神的供品，邀请邻居都去
cān jiā xiàn jì yǒu ge qióng rén jiā de fù nǚ dài zhe tā de xiǎo hái yě gēn zhe dà jiā
参加献祭。有个穷人家的妇女带着她的小孩，也跟着大家
yì qǐ qù jì shén xiàn jì de yí shì jǔ xíng wán bì hòu àn zhào guàn lì dà ren men kāi
一起去祭神。献祭的仪式举行完毕后，按照惯例，大人们开
shǐ kāi huái chàng yǐn tōng guò zhè zhǒng fāng shì lái gǎn xiè shén xiǎo nán hái gēn zài dà ren zhōng
始开怀畅饮，通过这种方式来感谢神。小男孩跟在大人中
jiān fàng kai dù zi dà chī le qǐ lái hěn kuài tā de xiǎo dù zi jiù biàn de yòu yuán yòu
间，放开肚子大吃了起来。很快，他的小肚子就变得又圆又
gǔ le
鼓了。

xiǎo nán hái chēng de nán shòu jí le biàn duì shēn biān de mǔ qin shuō qīn ài de mā
小男孩撑得难受极了，便对身边的母亲说：“亲爱的妈
ma ya wǒ de dù zi yuè lái yuè dà wǒ zhēn xiǎng bǎ dù zi rēng diào suàn le mǔ qin
妈呀！我的肚子越来越大，我真想把肚子扔掉算了！”母亲
tīng le wēi xiào zhe shuō wǒ de shǎ hái zi nǐ nòng cuò le nǐ yào rēng diào de yīng
听了，微笑着说：“我的傻孩子，你弄错了，你要扔掉的应
gāi shì nǐ chī jin dù zi li de dōng xi ér bú shì nǐ de dù zi
该是你吃进肚子里的东西，而不是你的肚子。”

想一想

小男孩为什么想扔掉肚子？妈妈为什么认为应该扔掉吃进肚子里的东西？

狗的房子

北风呼呼地吹着，声音比铁匠家拉风箱的声音还要响。狗走在风里，感觉风像针一样一直刺到他的骨头里。到了晚上，风更加猛烈，狗冷得无法入睡。于是，他为自己盖了一间房子。

夏天很快来了，狗觉得房子完全没用了，就把它推倒了。

秋天过去，又一个冬天来了。狗躺在地上，牙齿“咯吱咯吱”地直打架。他想着被推倒的房子，后悔极了。他为什么不把房子留到冬天再用呢？

yīng hé shī zi
鹰和狮子

yīng shì niǎo lèi jiā zú zhōng fēi de zuì gāo zuì yǒu lì liang de niǎo tā shì niǎo lèi jiā zú de jiāo ào ér shī zi ne tā zhǎng de gāo dà wēi měng shì lù dì shang dòng wù zhōng de dà wáng
鹰是鸟类家族中飞得最高，最有力量的鸟，他是鸟类家族的骄傲。而狮子呢？他长得高大威猛，是陆地上动物中的大王。

yǒu yì tiān zài tā men liǎng ge zhī jiān fā shēng le zhè yàng yí jiàn shì
有一天，在他们两个之间发生了这样一件事：

yì zhī yīng zài tiān shàng zì yóu de fēi xiáng tā yì biān fēi yì biān chàng qǐ gē lai
一只鹰在天上自由地飞翔，他一边飞一边唱起歌来。

fēi lèi le tā biàn luò zài shān jiǎo xia de yì kē shù shang zhè shí zhèng hǎo yǒu yì tóu shī zi lù guò zhè li
飞累了，他便落在山脚下的一棵树上。这时，正好有一头狮子路过这里。

yīng kàn jiàn le shī zi xīn xiǎng rú guǒ
鹰看见了狮子，心想：如果

我能够跟狮子交朋友，天上和地上不就成了我们两个的地盘了吗？到时候，不就是要什么有什么了吗？

想到这里，鹰对狮子说："狮子大王，我们签个盟约，做好朋友吧！以后，我们捕食时，可以相互协作，一个天上，一个地上，到时候还有什么猎物抓不到呢？"

狮子听了鹰的建议，也觉得非常好，但是他不信任鹰，于是说："我也赞成你的建议，但是，你必须找一个担保人，让他来证明你一定会遵守今天的诺言。否则，我是不愿意和你结什么盟约的。"

鹰犹豫了一下说："你为什么不相信我呢？我在天上，那可是最威风的鸟，我一定会说话算数的。"

狮子一个劲儿地摇着头说："你每天飞来飞去的，让人心里感到非常不踏实。一个随时都会飞走的人，我怎么能信任他呢？"

鹰与狮子结盟的事，就这样告吹了。

鹰为什么想和狮子签盟约？狮子为什么不想和鹰签盟约？

____

鹰和蜜蜂

春天来了，芬芳的花开了，蜜蜂开始忙碌地在花园里采蜜。他们从这一朵花飞到那一朵花上，累得汗都流下来了。

一只鹰在树上盯着忙忙碌碌的蜜蜂，说：“蜜蜂，你们何必那么辛苦哇？停下来好好儿地欣赏花园里的美景，不是更好吗？”

听到鹰的话，蜜蜂笑了，擦擦汗说：“鹰大哥，谢谢您的关心，我们不能每天都在那里欣赏美景，我们更重要的工作是采蜜。”

鹰又说道：“你们辛辛苦苦的，到头来又得到了什么呢？吃蜂蜜时，谁又会知道你们采蜜的辛苦？你们这一辈子忙忙碌碌，又能得到什么呢？死后，谁会记得你们呢？”

说完，鹰张开翅膀，“呼——呼——”地扇了起来，地上的尘土都被扇了起来，也把蜜蜂扇了个跟头。鹰得意地

shuō kàn wǒ yì shān chì bǎng jiù néng fēi shang gāo gāo de lán tiān duō wēi fēng
说：“看我，一扇翅膀就能飞上高高的蓝天，多威风，
rén men dōu zài kuā jiǎng wǒ men yīng de xióng zī ya yīng shuō wán yǎng qi tóu hā hā dà xiào
人们都在夸奖我们鹰的雄姿呀！”鹰说完仰起头哈哈大笑
qi lai
起来。

mì fēng pāi pai shēn shang de chén tǔ shuō yīng dà gē wǒ yě fēi cháng yǎng mù
蜜蜂拍拍身上的尘土，说：“鹰大哥，我也非常仰慕
nǐ de xióng zī nǐ shì xìng fú de yīn wei nǐ yōng yǒu lì liang hé xìn xīn
你的雄姿，你是幸福的，因为你拥有力量和信心。”

yīng dé yì de diǎn dian tóu
鹰得意地点点头。

mì fēng jiē zhe yòu shuō wǒ yě jué de zì jǐ shì xìng fú de wǒ bú yào bié rén
蜜蜂接着又说：“我也觉得自己是幸福的，我不要别人
de zàn měi wǒ zhǐ yào néng kàn dào fēng fáng li mǎn mǎn de fēng mì jiù gǎn dào hěn mǎn zú
的赞美，我只要能看到蜂房里满满的蜂蜜，就感到很满足。
yīn wei zhè xiē dōu shì wǒ de láo dòng chéng guǒ
因为，这些都是我的劳动成果。”

yīng bèi mì fēng de huà dǎ dòng le tā jué de mì fēng fēi cháng liǎo bu qǐ cóng cǐ
鹰被蜜蜂的话打动了，他觉得蜜蜂非常了不起。从此，
yīng hé mì fēng chéng le fēi cháng yào hǎo de péng you
鹰和蜜蜂成了非常要好的朋友。

我的读后感
鹰象征人们的理想，而蜜蜂则象征人们的现实。这个故事告诉我们：伟大的理想离不开现实的努力和积累。

mù rén hé xǐ nù wú cháng de hǎi
牧人和喜怒无常的海

shàng dì kāi shǐ chuàng zào tiān dì shí dà dì hùn dùn yí piàn shàng dì shuō yào
上帝开始创造天地时，大地混沌一片。上帝说：“要

yǒu guāng lì kè jiù yǒu le guāng shàng dì jiàn yǒu guāng hěn hǎo jiù bǎ guāng míng yǔ hēi
有光。”立刻就有了光。上帝见有光很好，就把光明与黑

àn fēn kāi chēng guāng míng wéi zhòu hēi àn wéi yè yú shì yǒu le chén guāng chū xiàn hēi
暗分开，称光明为昼、黑暗为夜，于是有了晨光出现，黑

yè jiàng lín shàng dì yòu zào le tiān kōng jiāng qí fēn kāi rán hòu shǐ tiān xià
夜降临。上帝又造了天空将其分开，然后使天下

zhī shuǐ huì hé dào yí chù xiǎn lù de tǔ dì wéi lù huì jí zhī
之水汇合到一处，显露的土地为陆，汇集之

shuǐ wéi hǎi cóng cǐ jiù yǒu le lù dì hé hǎi yáng dà hǎi bǐ
水为海，从此就有了陆地和海洋。大海比

lù dì kuān kuò dàn shì dà hǎi de xìng qíng yǒu diǎnr
陆地宽阔，但是大海的性情有点儿

gǔ guài yǒu shí píng jìng yǒu shí yǒng dòng
古怪，有时平静，有时涌动，

shí ér dà làng tāo tiān shí ér fēng píng làng jìng
时而大浪滔天，时而风平浪静。

yì tiān yǒu ge mù rén zài hǎi biān fàng
一天，有个牧人在海边放

mù tā kàn jiàn dà hǎi fēi cháng
牧，他看见大海非常

píng jìng jìng de xiàng miàn jìng zi
平静，静得像面镜子，

yú shì biàn xiǎng háng hǎi jīng shāng tā bǎ yáng
于是便想航海经商。他把羊

gǎn dào jí shì shang zhǔn bèi mài diào rán
赶到集市上，准备卖掉，然

后买些椰枣。这时，走来一位白发苍苍的老人，他手里拄着拐杖，沿着集市慢慢地走着。他看见牧人正在卖羊，便走过来，问道：“年轻人，你卖羊打算做什么呀？”

牧人回答说：“海上风平浪静，我打算卖了羊，买些椰枣渡洋过海去经商。”

老人摇摇头，对牧人说：“千万不要被大海的假象所迷惑，现在的平静只是暂时的，它发起怒来，像头疯狂的狮子，可以把你吞没。要征服大海很难很难，你要三思而后行啊！”

牧人一心想着要去航海经商，哪里听得进老人的劝告，他拍拍胸脯对老人说：“您放心，我相信我会成功的。”这位老人叹了口气，拄着拐杖往别处去了。

牧人经过一番讨价还价，终于以满意的价格把羊卖掉了。他用这些钱购置了许多椰枣，又雇了艘货船，装船之后便迫不及待地出发了。起初航行还算顺利，然而随着夕阳西

xià hǎi shang fēng lì dà zēng bō tāo xiōng yǒng péng pài kàn yàng zi bào fēng yǔ mǎ shàng jiù
下，海上风力大增，波涛汹涌澎湃，看样子暴风雨马上就
yào lái lín hǎi làng pāi jī zhe yán shí fēi jiàn qi xuě bái de làng huā huò chuán zài hǎi
要来临，海浪拍击着岩石，飞溅起雪白的浪花，货船在海
shang jiù xiàng yí piàn shù yè suí zhe fēng làng qǐ fú yáo dàng shī qù le fāng xiàng
上就像一片树叶，随着风浪起伏摇荡，失去了方向。

huò chuán wán quán bèi fèn nù de dà hǎi kòng zhì le mù rén zhǐ hǎo bǎ quán bù huò wù pāo
货船完全被愤怒的大海控制了，牧人只好把全部货物抛
dào hǎi li yǐ jiǎn qīng chuán de zhòng liàng dàn shì zhè shí hǎi shang de fēng làng tài dà
到海里，以减轻船的重量。但是，这时海上的风浪太大
le wèi le bú bèi kuáng fēng juǎn zǒu mù rén zhǐ dé bǎ zì jǐ bǎng zài le wéi gān shang
了，为了不被狂风卷走，牧人只得把自己绑在了桅杆上，
shuāng shǒu zhǎng zhe duò tā yòu bǎ fān jiàng xia lai miǎn de chuán bèi chuī fān
双手掌着舵。他又把帆降下来，免得船被吹翻。

fēng bào sì nüè de hū jiào zhe mù rén pīn mìng de zhī chēng zhe chuán jīng guò yí yè de
风暴肆虐地呼叫着，牧人拼命地支撑着船。经过一夜的
zhēng zhá xiǎo chuán zhōng yú tuō lí le xiǎn jìng
挣扎，小船终于脱离了险境，
dà hǎi yòu huī fù le wǎng rì de píng jìng
大海又恢复了往日的平静。

mù rén jià shǐ zhe kōng chuán táo le huí lái
牧人驾驶着空船逃了回来，
tā zhōng yú míng bai le nà
他终于明白了那

wèi bái fà lǎo rén de huà rán ér hòu huǐ yǐ jīng yú shì wú bǔ
位白发老人的话，然而后悔已经**于事无补**（事情毫无挽回的余地）。

méi guò duō jiǔ mù rén yǒu ge péng you xiǎng chū hǎi jīng shāng mù rén tīng hòu xià le yí dà tiào duì xǐ nù wú cháng de dà hǎi tā hái xīn yǒu yú jì mù rén quàn tā de péng you bié chū hǎi yīn wei dà hǎi bú shì suí biàn jiù néng bèi zhēng fú de
没过多久，牧人有个朋友想出海经商，牧人听后吓了一大跳，对喜怒无常的大海他还心有余悸。牧人劝他的朋友别出海，因为大海不是随便就能被征服的。

我的读后感
投资时不要为假象所迷惑，要选择自己熟悉并能驾驭的行业；否则，盲目投资只能带来不必要的浪费。

máng rén hé qué zi
盲人和瘸子

máng rén zài yì tiáo fēi cháng qí qū de lù shang jiān nán de xiàng qián zǒu zhè shí
盲人在一条非常崎岖的路上，艰难地向前走。这时，
tā yù dào le yí ge qué zi jiù yāng qiú qué zi shuō dà gē kě lián kě lián
他遇到了一个瘸子，就央求瘸子说：“大哥，可怜可怜
wǒ zhè ge xiā zi ba gào su wǒ gāi zěn me zǒu hǎo ba qué zi huí dá shuō
我这个瞎子吧！告诉我该怎么走，好吧？”瘸子回答说：
wǒ shì ge qué zi zì jǐ zǒu lù dōu yì qué yì guǎi de jiù shì xiǎng bāng nǐ dōu bāng
“我是个瘸子，自己走路都一瘸一拐的，就是想帮你都帮
bu shàng máng a
不上忙啊！”

máng rén shuō wǒ shēn tǐ hěn bàng yào shi wǒ kàn de jiàn lù zǒu qi lai shì bù
盲人说：“我身体很棒，要是我看得见路，走起来是不
chéng wèn tí de qué zi shuō yào bù nǐ bēi shang wǒ wǒ zuò nǐ de yǎn jing
成问题的。”瘸子说：“要不你背上我，我做你的眼睛，
nǐ zuò wǒ de tuǐ zěn me yàng máng rén shuō zhè zhēn shì ge hǎo zhǔ yi yú
你做我的腿，怎么样？”盲人说：“这真是个好主意！”于
shì máng rén bēi qi qué zi tā men yí lù zǒu de yòu ān wěn yòu kuài huo
是，盲人背起瘸子，他们一路走得又安稳又快活。

zhè ge gù shi shì shuō yǒu de shí hou liǎng ge rén huò gèng duō rén de hé zuò yuǎn bǐ
这个故事是说，有的时候，两个人或更多人的合作远比
yí ge rén dān qiāng pǐ mǎ yào hǎo de duō
一个人单枪匹马要好得多。

yīng hé nóng fū
鹰和农夫

tiān qì hěn qíng lǎng nóng fū zhèng zài tián li chú cǎo zhè shí tā tīng dào yì zhī
天气很晴朗，农夫正在田里锄草。这时，他听到一只
niǎo jiào de shēng yīn tīng shēng yīn hěn xiàng yì zhī yīng tā gǎn jǐn zǒu jìn yí kàn guǒ
鸟叫的声音，听声音很像一只鹰。他赶紧走近一看，果
zhēn shì yì zhī yīng bèi bǔ shòu jiā jiā zhù le zài nà li tòng kǔ de jiào zhe yīng kàn dào
真是一只鹰被捕兽夹夹住了，在那里痛苦地叫着。鹰看到
nóng fū lái le jiào shēng gèng dà le yǎn li hái liú zhe lèi fǎng fú zài kěn qiú
农夫来了，叫声更大了，眼里还流着泪，仿佛在恳求
nóng fū jiù jiu tā
农夫救救他。

nà shì yì zhī měi lì de yīng nóng fū ài fǔ de guò qu fǔ mó
那是一只美丽的鹰，农夫爱抚地过去抚摩
tā měi lì de yǔ máo bǎ tā fàng le chū lái
他美丽的羽毛，把他放了出来。

yīng dé jiù le tā zhǎn kāi chì bǎng fēi shang le tiān kōng tā zài kōng zhōng
鹰得救了，他展开翅膀飞上了天空。他在空中
fēi le yì quān yòu yì quān hái bú zhù de jiào
飞了一圈又一圈，还不住地叫
zhe fǎng fú zài gào su nóng fū nǐ
着，仿佛在告诉农夫：“你
jīn tiān duì wǒ de jiù mìng zhī ēn wǒ yí
今天对我的救命之恩，我一
dìng bú huì wàng de
定不会忘的。”

nóng fū yě gēn yīng bǎi le bǎi
农夫也跟鹰摆了摆
shǒu shuō nǐ zǒu ba
手，说：“你走吧，

以后要小心，下回不一定会有人救你的。”

很多天后，农夫慢慢地把这件事忘了。一天，农夫又像往常一样去田里劳动，累了就到地边一个快要倒塌的墙下休息。因为那里毒辣的阳光照不到，农夫能够在那里乘凉。

这时，鹰正好也经过这里，他感觉那堵墙即将会倒下，于是立刻朝下飞去。他用爪子抓起了农夫头上的头巾，向远处飞去。农夫见鹰把自己的头巾抓去了，赶紧追了过去。他还没有走出几步远，身后的那堵墙就倒下来了。

农夫感到很庆幸，他望着从天上缓缓飘下来的头巾，十分动情地说：“原来这是那只美丽的鹰在报恩哪！”

他感激地对那只鹰说：“谢谢你！”

小朋友们，你们也一定要记住：好人一定会有好报的！

农夫是怎么帮助鹰的？鹰是怎么报答农夫的？他们分别有什么美好品质？

小母牛和小公牛

在田地里，我们总可以看见一头小公牛。他被拴在犁上，从早到晚不停地耕地，辛苦极了。小母牛却逍遥自在，一会儿玩玩水，一会儿晒晒太阳。她很得意，常常讥笑小公牛辛劳的命运。

没过多久，秋天来临了。主人去掉小公牛脖子上的轭，却用绳子把小母牛的脖子拴上了。小公牛苦笑着对小母牛说：“主人就是为了现在用你来祭神，才让你以前那么自由自在呀！”

我的读后感
辛苦劳作有时反而能保障自己的安全，自由自在往往是灾祸的前兆。

hú lu hé sōng shù
葫芦和松树

huángshān de dǐng fēngshang yǒu yì kē hěn lǎo hěn lǎo de sōng shù tā yīng gāi yǒu yì bǎi duō suì le ba chūn lái qiū qù lǎo sōng shù shǐ zhōng zhè me cāng cuì bì lǜ fēng chuī tā bú pà yǔ xuě yě bié xiǎng dǎ dǎo tā
黄山的顶峰上，有一棵很老很老的松树，他应该有一百多岁了吧。春来秋去，老松树始终这么苍翠碧绿，风吹他不怕，雨雪也别想打倒他。

bù zhī dào cóng nǎr lái de yí lì hú lu zhǒng zi zài sōng shù xia fā le yá
不知道从哪儿来的一粒葫芦种子在松树下发了芽。

xià tiān dào le wēn dù jiàn jiàn shēng gāo hú lu yuè zhǎng yuè kuài bú dào qī yuè hú lu jiù zhǎng dào sōng shù de dǐng bù le tā de zhī yè fù gài le zhěng kē sōng shù
夏天到了，温度渐渐升高，葫芦越长越快。不到七月，葫芦就长到松树的顶部了。他的枝叶覆盖了整棵松树。

hú lu shí ér wàng zhe máng máng
葫芦时而望着茫茫

的天空，时而和身边的白云做游戏，他觉得自己好伟大，比松树还伟大。他开始嘲笑松树了：“老松树，你看你这么大把年纪了，怎么还这样高哇！多没意思呀！瞧我，没几天就长这么高了，恐怕我用的天数还没你用的年数多吧？”

老松树微微一笑，说道：“是呀，我可没你厉害。我站在这里一百多年了，还是老样子。不像你，一个冬天后，就永远消失了。”

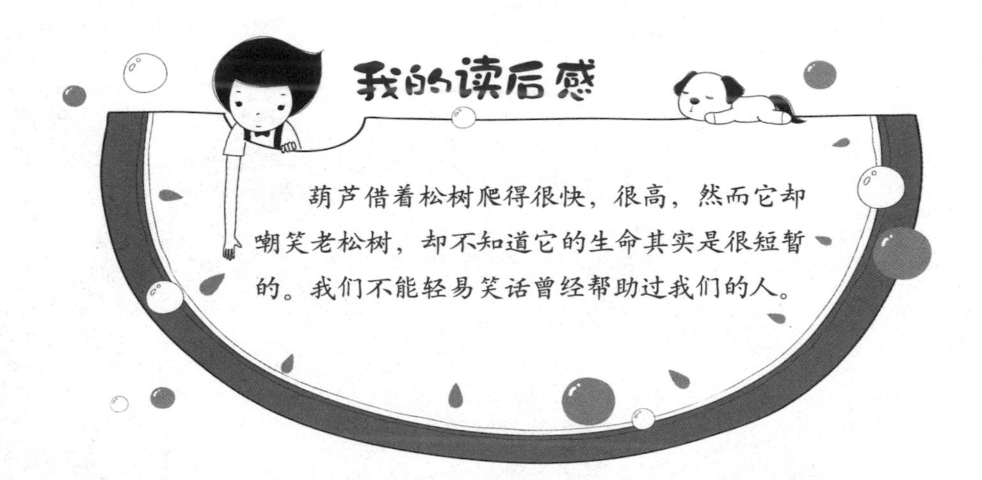

葫芦借着松树爬得很快，很高，然而它却嘲笑老松树，却不知道它的生命其实是很短暂的。我们不能轻易笑话曾经帮助过我们的人。

lǎo shǔ kāi huì
老鼠开会

lǎo shǔ dòng li hěn rè nao yuán lái zhè li zhèng zài zhào kāi jí tǐ dà huì tā men yào
老鼠洞里很热闹，原来这里正在召开集体大会。他们要
shāngliang yí ge duì cè yǐ biàn zài māo xí jī tā men zhī qián jiù néng fā xiàn
商量一个对策，以便在猫袭击他们之前就能发现。

huì yì cóngshàng wǔ kāi dào xià wǔ shǐ zhōng méi yǒu jié guǒ zhè shí yì zhī lǎo
会议从上午开到下午，始终没有结果。这时，一只老
shǔ tí yì dào wǒ men zài māo bó zi shangbǎng ge líng dang ba nà yàng wǒ men yuǎn yuǎn
鼠提议道：“我们在猫脖子上绑个铃铛吧？那样我们远远
jiù kě yǐ tīng dào tā lái le
就可以听到他来了。”

hǎo wa hǎo wa
“好哇，好哇……”
dà jiā wèi zhè ge jiàn yì jī dòng
大家为这个建议激动
bù yǐ nà me shuí qù bǎ
不已。“那么，谁去把
líng dang bǎng dào māo bó zi shang
铃铛绑到猫脖子上
ne lǎo shǔ dòng li dùn shí
呢？”老鼠洞里顿时
yǎ rán méi yǒu yì zhī lǎo shǔ
哑然，没有一只老鼠
gǎn fā chū shēng yīn le
敢发出声音了。

hái zi hé há ma
孩子和蛤蟆

jǐ ge hái zi zài chí táng páng biān wán shuǎ chí táng lǐ miàn de hé yè shang yǒu xǔ duō há
几个孩子在池塘旁边玩耍，池塘里面的荷叶上有许多蛤
ma zhèng zài xiū xi
蟆正在休息。

tū rán yǒu yí ge hái zi shí qi yí kuài shí tou jī dǎ há ma méi xiǎng dào tā
突然，有一个孩子拾起一块石头击打蛤蟆。没想到，他
yí xià zi dǎ ge zhèng zháo yì zhī há ma fān shēn tǎng zài shuǐ miàn shang dù zi bái huā huā
一下子打个正着，一只蛤蟆翻身躺在水面上，肚子白花花
de zhí dēng tuǐ
的，直蹬腿。

qí tā de hái zi kàn dào zhè ge qíng jǐng dōu lè hē hē de xiào qi lai fēn fēn shí
其他的孩子看到这个情景，都乐呵呵地笑起来，纷纷拾
qi shí kuài xuǎn zhǔn mù biāo rēng guo qu bù yí huìr chí táng li yǐ jīng piāo zhe hǎo jǐ
起石块，选准目标扔过去。不一会儿，池塘里已经漂着好几
zhī há ma de shī tǐ le
只蛤蟆的尸体了。

yì zhī yǒng gǎn de há ma xiàng hái zi men tí chu kàng yì shuō tiáo pí dǎo dàn de
一只勇敢的蛤蟆向孩子们提出抗议，说：“调皮捣蛋的
hái zi men qǐng tíng xia nǐ men shǒu zhōng de shí kuài ba zài nǐ men yǎn li zhè zhǐ shì yí ge
孩子们，请停下你们手中的石块吧。在你们眼里这只是一个
qǔ lè de yóu xì kě duì wǒ men lái shuō què shì xìng mìng jiāo guān de dà shì ya
取乐的游戏，可对我们来说，却是性命交关的大事呀！”

野驴和家驴

野驴懒洋洋地在农场周围乱逛，看能不能找到点儿别人扔的麦穗或者干草什么的来填饱肚子。

他看见农场的大坝上，有一头家驴正悠闲地躺在那里休息。他好羡慕，觉得家驴平时有吃有喝的，不像他，总是吃那些从垃圾堆里捡出来的破烂，还要受到歧视。

“唉……”野驴叹了口气，跟家驴打了个招呼，“喂，亲爱的老兄，你看你多么幸福哇！瞧瞧你

zhè shēn guāng liū liū de pí máo nǐ yí dìng hùn de hěn bú cuò ba
这身光溜溜的皮毛，你一定混得很不错吧。”

jiā lǘ zhǐ jué de hǎo xiào méi yǒu huí dá
家驴只觉得好笑，没有回答。

yòu yì tiān yě lǘ zài mǎ lù shang yù dào le jiā lǘ jiā lǘ bèi shang zhèng tuó zhe
又一天，野驴在马路上遇到了家驴。家驴背上正驮着
liǎng dài zhòng zhòng de yù mǐ tā bèi yā de shàng qì bù jiē xià qì hòu miàn hái gēn zhe ge
两袋重重的玉米。他被压得上气不接下气，后面还跟着个
rén yòng biān zi chōu tā kuài nǐ gěi wǒ kuài diǎnr
人用鞭子抽他：“快，你给我快点儿！”

yě lǘ zài yí cì tàn xī dào ài lǘ lǎo xiōng wǒ zài yě bú xiàn mù nǐ
野驴再一次叹息道：“唉……驴老兄，我再也不羡慕你
le yuán lái nǐ wèi nǐ de yōu xián fù chū le zhè me chén zhòng de dài jià ya
了，原来你为你的悠闲付出了这么沉重的代价呀！”

liǎng ge hú
两个壶

hé shuǐ huā lā lā de liú zhe shùn zhe xiǎo hé piāo xia lai liǎng ge hú tā men yí
河水哗啦啦地流着，顺着小河，漂下来两个壶。他们一
ge shì yòng táo tǔ zuò de lìng yí ge shì yòng tóng zuò de
个是用陶土做的，另一个是用铜做的。

liǎng ge hú piāo wa piāo wa zhè shí hou táo hú duì tóng hú shuō dà gē nǐ
两个壶漂哇漂哇。这时候，陶壶对铜壶说：“大哥，你
kě bu kě yǐ lí wǒ yuǎn yì diǎnr ne suī rán nǐ pèng zài wǒ shēnshang bú huì yǒu shén me
可不可以离我远一点儿呢？虽然你碰在我身上，不会有什么
sǔn shāng kě shì wǒ yí pèng dào nǐ jiān yìng de shēn tǐ jiù huì biàn chéng suì piàn na
损伤，可是，我一碰到你坚硬的身体，就会变成碎片哪！
suǒ yǐ wǒ shì bù gǎn pèng dào nǐ de
所以，我是不敢碰到你的。”

kàn lái zhǐ yǒu lì liang bǐ jiào jiē jìn liǎng ge rén cái néng hù xiāng jiē jìn chéng wéi hǎo
看来只有力量比较接近，两个人才能互相接近，成为好
péng you wa
朋友哇。

我的读后感
“物以类聚，人以群分。”力量和品性等相差不多的人才能够成为永远的朋友。

shēng jīn dàn de jī

生金蛋的鸡

yǒu yí duì hào chī lǎn zuò de fū qī yì tiān dào wǎn zuò zhe tiān shàng diào xiàn bǐng de fā cái mèng

有一对好吃懒做的夫妻，一天到晚做着天上掉馅饼的发财梦。

tā men měi tiān dōu xiàng shén dǎo gào qǐng qiú shén ràng tā men guò shang hǎo rì zi shén sòng gěi tā men yì zhī mǔ jī tā men xiǎng yì zhī mǔ jī yǒu shén me yòng chī ròu yě chī bu shàng yì tiān míng tiān jiù bǎ tā shā diào

他们每天都向神祷告，请求神让他们过上好日子。神送给他们一只母鸡。他们想：一只母鸡有什么用，吃肉也吃不上一天，明天就把她杀掉。

dì èr tiān yí dà zǎo zhàng fu jiù qù shā jī hū rán zhàng fu jí cōngcōng de chōng jin wū li shuō kuài lái kàn na nà zhī mǔ jī xià le yì zhī jīn jī dàn na qī zi bù gǎn xiāng xìn zì jǐ de ěr duo zhàng fu jiàn tā bú xìn jiù bǎ tā lā dào jī wō páng biān qī zi yí kàn yǎn mào jīn guāng yǎn qián guǒ rán shì yì zhī jīn càn càn chén diàn diàn de jīn dàn

第二天一大早，丈夫就去杀鸡。忽然，丈夫急匆匆地冲进屋里说：“快来看哪，那只母鸡下了一只金鸡蛋哪！”妻子不敢相信自己的耳朵。丈夫见她不信，就把她拉到鸡窝旁边。妻子一看，眼冒金光——眼前，果然是一只金灿灿、沉甸甸的金蛋！

fū qī liǎ gāo xìng jí le yí huìr nǐ mō mo yí huìr tā ná na duì zhè kē jīn dàn ài bú shì shǒu wèi le ràng jī guò de gèng shū fu gěi tā men xià gèng duō jīn dàn fū qī liǎ wèi jī ān pái le gèng shū shì de jiā gěi tā zuì hǎo chī de fàn cài zhè yàng jī chī de hǎo zhù de hǎo měi tiān dōu gěi tā men xià yí ge dà dà de jīn dàn yǒu le

夫妻俩高兴极了，一会儿你摸摸，一会儿他拿拿，对这颗金蛋爱不释手。为了让鸡过得更舒服，给他们下更多金蛋，夫妻俩为鸡安排了更舒适的家，给她最好吃的饭菜。这样，鸡吃得好，住得好，每天都给他们下一个大大的金蛋。有了

zhè xiē jīn dàn fū qī liǎ zhēn de fā cái le tā men mǎi le xǔ duō tián dì gài qi le
这些金蛋，夫妻俩真的发财了，他们买了许多田地，盖起了
shū shì de dà fáng zi rì zi guò de shū fu jí le
舒适的大房子，日子过得舒服极了。

yǒu yì tiān tā men shāng liang zhè yàng cì hou jī hái làng fèi liáng shi jī
有一天，他们商量：“这样伺候鸡，还浪费粮食！鸡
yì tiān zhǐ néng xià yí ge jīn dàn duō màn na wǒ men wèi shén me bù bǎ jī shā le bǎ
一天只能下一个金蛋，多慢哪！我们为什么不把鸡杀了。把
tā dù zi li suǒ yǒu de jīn dàn yí cì dōu tāo chu lai ne zhàng fu lì jí dòng shǒu shā
她肚子里所有的金蛋一次都掏出来呢？”丈夫立即动手杀
jī kě pōu kai jī dù zi yí kàn tā men dōu shǎ yǎn le lián ge jīn dàn de yǐng zi
鸡。可剖开鸡肚子一看，他们都傻眼了——连个金蛋的影子
dōu kàn bu jiàn na cóng cǐ fū qī liǎ zài yě méi yǒu jīn dàn le tā men yī jiù bú
都看不见哪！从此，夫妻俩再也没有金蛋了，他们依旧不
yuàn yì láo dòng lǎn duò de dé guò qiě guò méi guò jǐ nián nà diǎnr jiā chǎn jiù
愿意劳动，懒惰地得过且过。没过几年，那点儿家产就
bèi tā men chī guāng le fū qī liǎ yòu guò qi le qióng rì zi
被他们吃光了。夫妻俩又过起了穷日子。

tān dé wú yàn de rén hào chī lǎn zuò de rén
贪得无厌的人，好吃懒做的人，
zěn me huì yǒu hǎo xià chǎng ne
怎么会有好下场呢？

鸟、兽和蝙蝠

森林里，鸟类和野兽是两个最强大的团体。有一天，鸟类家族和野兽家族展开了激烈的战斗。因为他们各有长处，各有短处，所以，有时鸟类取得胜利，有时野兽略占上风。

在这场战争中，最为难的要数蝙蝠了。他不知道自己属于鸟类家族，还是属于野兽家族。所以，蝙蝠便开始在一旁观战，想趁机归顺于势力强的那一方。当看到鸟类家族占上风时，蝙蝠就帮助鸟类战斗；可是，当野兽家族占优势时，蝙蝠就立刻背叛鸟类，转过头来，协助野兽战斗。总之，蝙蝠就像墙头草一样，变来变去。

后来，鸟类和野兽宣告停战，双方协议要和平友好相处。这时候，蝙蝠更糊涂了，心想：我到底该归顺哪一方好呢？

鸟类和野兽都看出了蝙蝠的心机，他们都觉得蝙蝠缺乏诚信不可信，也憎恶蝙蝠的两面派嘴脸。所以，双方共同裁定蝙蝠为奸诈罪，同时把他赶出了日光之外，赶到了黑暗谷里。

从此以后，白天我们看不到蝙蝠的影子，因为他们都躲藏在黑暗的地方。只有在晚上，他们才敢飞出来透透气。

想一想

鸟类和野兽打仗时蝙蝠的表现是怎样的？鸟类和野兽停战时蝙蝠的表现是怎样的？

天鹅和鹅
tiān é hé é

cóngqián yǒu yí ge rén zài shì chǎngshang mǎi le yì zhī é hé yì zhī tiān é
从前，有一个人在市场上买了一只鹅和一只天鹅。

tā xiǎng bǎ é yǎng dà hòu yòng tā nà xiān nèn de ròu zuò cài chī yí dìng tè
他想：把鹅养大后，用他那鲜嫩的肉做菜吃，一定特

bié hǎo chī tiān é píng shí kě yǐ chàng dòng tīng de gē
别好吃；天鹅平时可以唱动听的歌，

bāng wǒ jiě mèn duō hǎo wa
帮我解闷，多好哇！

rì zi yì tiān yì tiān
日子一天一天

guò qu le é zhú jiàn zhǎng
过去了，鹅逐渐长

dà le dào le shā é de
大了。到了杀鹅的

shí hou tā zài yè li qù zhuō é tiān qī hēi qī hēi de shēnshǒu bú jiàn wǔ zhǐ tā
时候，他在夜里去捉鹅。天漆黑漆黑的，伸手不见五指。他

fēn bu chū yǎn qián de shì é hái shì tiān é jié guǒ zhuā qi tiān é de bó zi jiù zhǔn
分不出眼前的是鹅，还是天鹅，结果抓起天鹅的脖子，就准

bèi dòng dāo le
备动刀了。

tiān é yǎn kàn zì jǐ yào yuānwang de sǐ qù le xīn li shí fēn zháo jí zhè shí
天鹅眼看自己要冤枉地死去了，心里十分着急。这时

hou tā líng jī yí dòng xiǎng qi zhǔ rén nà me xǐ huan zì jǐ de gē shēng yú shì mǎ
候，他灵机一动，想起主人那么喜欢自己的歌声，于是马

shàngchàng qi le zhǔ rén shú xi de gēr nà ge rén yì tīng lì kè yì shí dào zì jǐ
上唱起了主人熟悉的歌儿。那个人一听，立刻意识到自己

zhuā cuò le xīn téng de mō mo tiān é de bó zi shuō wǒ de tiān é bǎo bèi
抓错了，心疼地摸摸天鹅的脖子，说：“我的天鹅宝贝，

zhēn shì duì bu qǐ ya wǒ zěn me shě de chī nǐ de ròu ne
真是对不起呀！我怎么舍得吃你的肉呢？”

jiù zhè yàng cōngmíng de tiān é yòng zì jǐ de gē shēng bǎo zhù le xìngmìng suǒ yǐ
就这样，聪明的天鹅用自己的歌声保住了性命。所以，

zài jǐn yào guān tóu yí dìng yào dòng nǎo jīn
在紧要关头，一定要动脑筋。

蚊子和牛

草地上，牛低头吃着鲜美的青草。小蚊子飞累了，悄悄地降落在牛角上休息。

牛仍然陶醉在难得的美味中。小蚊子却暗暗高兴：“牛没赶我走，看来还是挺喜欢我的呀！”小蚊子要飞走时发出“嗡嗡”的声音：“你愿意我离开吗？”牛冷冷地回答说：“你来了我都不知道，你走了我更不会想念哪！”

是呀，像这种软弱又无知的人，他存不存在，人们都不会放在心上的。

降落在牛角上休息的小蚊子为什么暗暗高兴？牛对小蚊子的到来和离去持怎样的态度？

公牛和羊

清清的小溪边，一头公牛埋着头悠闲地喝水。突然，他似乎听见了什么，只见一头狮子飞快地朝他奔过来，正准备袭击他。公牛吓得奋力逃命。

公牛跑哇跑哇，发现不远处有一个小山洞，他急忙钻了进去。

洞里住着一只山羊，他见公牛慌忙地跑进来，知道公牛一定是在躲避危险。山羊很得意，还用角去顶公牛。公牛一边盯着洞外的狮子，一边小声地对山羊说："随便你怎么顶我，我害怕的只是狮子。等狮子走了以后，你立刻就会明白我们谁的力气大了。"

山羊**乘人之危**（人家有急难,反而乘机去侵害），显出了他邪恶的一面。我们可不要学他呀！

蚂蚁和鸽子

天气炎热，一只小蚂蚁口渴极了。他穿过密密的草丛，来到清清的小河边，他用力一跳，跳到了一块小石头上。

石头上长着滑滑的青苔，蚂蚁小心翼翼地迈着步子，想趴下去喝水。这时，一阵浪打过来，小蚂蚁没站稳，被水卷走了。

可怜的小蚂蚁伸出几只脚在急流中乱抓乱划，眼看就要沉下去了。

水面的树枝上蹲着一只鸽子，他摘下一片树叶，扔到小蚂蚁身边。蚂蚁爬上叶子，叶子漂哇漂哇，最后漂到了岸上，蚂蚁得救了。

第二天，鸽子在无花

guǒ shù shang jìn qíng de chàng zhe yōu měi de gē　què méi zhù yì dào bǔ niǎo rén yǐ jīng bǎ nián
果树上尽情地唱着优美的歌，却没注意到捕鸟人已经把黏

shuǐ tú dào le shù zhī shang　zhèngxiǎngshēn chu qu zhān tā
水涂到了树枝上，正想伸出去粘他。

zhè shí hou　zài shù xia bān shí wù de xiǎo mǎ yǐ kàn dào le zhè yí qiè　tā yǒng
这时候，在树下搬食物的小蚂蚁看到了这一切。他勇

gǎn de chōngshang qu　pá shang bǔ niǎo rén de jiǎo　hěn hěn de yǎo le tā yì kǒu
敢地冲上去，爬上捕鸟人的脚，狠狠地咬了他一口。

bǔ niǎo rén bèi yǎo tòng le　shǒu yì sōng　shù zhī diào le xià lái　gē zi tīng jiàn shēng
捕鸟人被咬痛了，手一松，树枝掉了下来。鸽子听见声

yīn　gǎn jǐn zhāng kai chì bǎng fēi zǒu le
音，赶紧张开翅膀飞走了。

gē zi de hǎo xīn　zhōng yú yǒu le hǎo bào
鸽子的好心，终于有了好报。

我的读后感
人应该有一颗善良的心，及时帮助那些需要帮助的人，因为即使微小如蚂蚁也会懂得报恩。帮助和报恩使这个世界变得更加美好。

狐狸和猴子

天气晴朗，风儿吹过山谷。猴子在回家的路上碰到了狐狸，于是，他们一起回家。

穿过茂密的树林，走过清澈的小溪，他们来到山脚拐弯的地方。狐狸远远地就看到那儿竖着一块块白色的东西，便问猴子：“那是什么呀？”猴子答道：“我也不知道。”

他们急忙转过山脚，一下子就看到了好多好多大理石做的墓碑，华

lì wú bǐ yuán lái zhè li shì ge mù dì
丽无比。原来，这里是个墓地。

hóu zi xiǎng le yí xià dé yì de xiào dào hā hā wǒ tū rán xiǎng qi lai
猴子想了一下，得意地笑道：“哈哈，我突然想起来

le zhè shì hóu zi jiā zú de mù dì lǐ miàn mái zàng zhe wǒ de zǔ xiān tā men huó zhe
了，这是猴子家族的墓地，里面埋葬着我的祖先。他们活着

de shí hou quán shì yǒu shēng wàng de chén mín suǒ yǐ cái bèi mái zàng zài zhè fēng guāng xiù
的时候，全是有声望的臣民。所以，才被埋葬在这风光秀

lì de shān gǔ zhī zhōng
丽的山谷之中。”

hú li gēn běn jiù bú xìn gān cuì shuō nǐ shuō huǎng de běn lǐng kě zhēn qiáng a
狐狸根本就不信，干脆说：“你说谎的本领可真强啊！

rú guǒ nǐ de zǔ xiān zhēn bèi mái zài zhè li nà me tā men xiàn zài dōu zhǐ néng jìng jìng de
如果你的祖先真被埋在这里，那么，他们现在都只能静静地

tǎng zài guān cai li hái yǒu shuí néng qǐ lai fǎn bó nǐ ne
躺在棺材里，还有谁能起来反驳你呢？”

我的读后感
一个人说话要有根据，切莫信口胡说；信口胡说只会惹来他人的讥笑。

má què hé tù zi
麻雀和兔子

xiǎo tù zi zài yě wài cǎi mó gu yí bù liú shén bèi yì zhī lǎo yīng zhuō zhù le tù
小兔子在野外采蘑菇，一不留神被一只老鹰捉住了。兔
zi wū wū de kū qi lai shāng xīn jí le
子呜呜地哭起来，伤心极了。

má què tīng jiàn tù zi yīng ér yí yàng de kū shēng xīn li hěn fán yú shì shuō
麻雀听见兔子婴儿一样的哭声，心里很烦，于是说
dào yǒu shén me hǎo kū de ne nǐ bú shì fēi máo tuǐ ma xiàn zài zěn me pǎo
道：“有什么好哭的呢？你不是飞毛腿吗？现在怎么跑
bu kuài le má què zhǐ gù zhe shuō
不快了？”麻雀只顾着说
huà què bèi yì zhī sǔn yí xià zi yǎo
话，却被一只隼一下子咬
sǐ le
死了。

tù zi yáo yao nǎo dai tàn le kǒu
兔子摇摇脑袋，叹了口
qì ài nǐ gāng gāng hái xìng zāi lè huò
气：“唉，你刚刚还幸灾乐祸
de shuō wǒ xiàn zài yīng gāi wèi zì
地说我，现在应该为自
jǐ tóng yàng de bú xìng gǎn dào bēi āi
己同样的不幸感到悲哀
le ba
了吧。”

mào pái yī shēng qīng wā
冒牌医生青蛙

chí táng li zhù zhe yì zhī dà qīng wā tā chéng tiān xiàng dòng wù men chuī xū tā de yī shù
池塘里，住着一只大青蛙。他成天向动物们吹嘘他的医术。

hú li hěn tǎo yàn qīng wa zhè yàng zì dà jiù pǎo dào chí táng biān wèn nǐ huì zhì shén me bìng ne
狐狸很讨厌青蛙这样自大，就跑到池塘边，问：“你会治什么病呢？”

qīng wā shuō tiān xià suǒ yǒu de bìng wǒ dōu kě yǐ zhì hú li tīng le mǎ shàng xiào dào hā hā nà nǐ wèi shén me hái bǒ zhe jiǎo zǒu lù wèi shén me hái zhǎng zhe yì liǎn zhòuzhòu de pí ne
青蛙说：“天下所有的病我都可以治。”狐狸听了，马上笑道：“哈哈，那你为什么还跛着脚走路？为什么还长着一脸皱皱的皮呢？”

qīng wā liǎn hóng le pū tōng yì shēng tiào xia shuǐ duǒ zài hé yè xia zài yě bù gǎn chū lai le
青蛙脸红了，“扑通”一声跳下水，躲在荷叶下，再也不敢出来了。

想一想

青蛙说他都会治什么病？狐狸是怎么反驳青蛙的？你感悟到了什么道理？

____

jí dù jī de māo bù ān hǎo xīn

嫉妒鸡的猫不安好心

yí ge lǎo nóng fū méi yǒu qīn rén hé ér nǚ gǎn dào hěn jì mò yú shì tā yǎng le
一个老农夫没有亲人和儿女，感到很寂寞。于是他养了
yì zhī māo hé yì zhī jī péi bàn tā nóng fū duì dài jī yào bǐ duì dài māo hǎo yì xiē
一只猫和一只鸡陪伴他。农夫对待鸡要比对待猫好一些。

yě xǔ lǎo nóng fū láo dòng yì nián dǎ de liáng shi zú gòu tā chī de le bú dà zhǐ wang
也许老农夫劳动一年打的粮食足够他吃的了，不大指望
māo qù zhuō lǎo shǔ yě xǔ tā hěn xǐ huan chī jī dàn ér nà zhī jī zǒng shì měi tiān gěi tā
猫去捉老鼠；也许他很喜欢吃鸡蛋，而那只鸡总是每天给他
xiàn shang yí ge dàn suǒ yǐ nóng fū duì jī hǎo xiàng zǒng bǐ duì māo hǎo yì xiē
献上一个蛋……所以，农夫对鸡好像总比对猫好一些。

měi dāng nóng fū cóng jī wō li tāo chu jī dàn de shí hou liǎn shang zǒng shì chōng mǎn le
每当农夫从鸡窝里掏出鸡蛋的时候，脸上总是充满了
xiào róng zuǐ shang zàn dào hēi nǐ zhēn xíng měi tiān gěi wǒ sòng shang yí ge xiǎo wán
笑容，嘴上赞道：“嘿，你真行，每天给我送上一个小玩
yìr shuō wán jiù gěi jī sǎ xia yì bǎ mǐ
意儿。”说完，就给鸡撒下一把米。

kě shì dāng māo bǎ zhuō dào de lǎo shǔ diāo dào tā miàn qián xiàng tā qǐng gōng shí nóng fū
可是当猫把捉到的老鼠叼到他面前，向他请功时，农夫
què yàn wù de shuō kuài kuài diāo dào yì biān qù bié zài zhèr fán wǒ
却厌恶地说：“快，快叼到一边去！别在这儿烦我！”

zhè shǐ māo hěn jí dù jī dāng nóng fū gěi jī sǎ xia mǐ zhuǎn shēn lí kāi de shí hou
这使猫很嫉妒鸡。当农夫给鸡撒下米转身离开的时候，
māo cháng cháng pǎo guo qu yòng tā de zhuǎ zi bǎ mǐ mái diào bú ràng jī chī jī què yí
猫常常跑过去，用他的爪子把米埋掉，不让鸡吃。鸡却一
lì lì bǎ mǐ cóng ní tǔ li jiǎn chu lai chī diào māo kàn dào jī nà fù háo bú jiè yì de yàng
粒粒把米从泥土里捡出来吃掉。猫看到鸡那副毫不介意的样
zi xīn li gèng jiā shēng qì le
子，心里更加生气了。

yǒu yí cì jī bìng le nóng fū méi qù tāo jī dàn yīn ér yě wàng le gěi tā sǎ
有一次，鸡病了，农夫没去掏鸡蛋，因而也忘了给她撒

mǐ māo jiǎ xīng xīng de wèn jī wèi péng you nǐ zuì jìn shēn tǐ zěn me yàng quē
米。猫假惺惺地问鸡：“喂，朋友！你最近身体怎么样？缺

shén me dōng xi wǒ kě yǐ gěi nǐ jí shǐ wǒ méi yǒu wǒ yě kě yǐ xiàng zhǔ rén gěi nǐ
什么东西，我可以给你；即使我没有，我也可以向主人给你

yào ma dàn yuàn nǐ néng zǎo rì huī fù jiàn kāng
要嘛。但愿你能早日恢复健康。”

jī bù jí bú nào shuō nǐ yuè jiǎ xīng xīng wǒ fǎn ér huì biàn de yuè qiáng
鸡不急不闹，说：“你越假惺惺，我反而会变得越强

zhuàng zhè shí nóng fū lái le gǎn zǒu le bù ān hǎo xīn de māo jí shí de gěi jī
壮。”这时，农夫来了，赶走了不安好心的猫，及时地给鸡

sǎ le yì bǎ mǐ
撒了一把米。

我的读后感
嫉妒他人的言行只会使自己变得更加孤立；友善地对待他人才会赢得更多的朋友。

农夫教育异心四兄弟

村子里住着一位农夫，他为人很好，跟邻居们也相处得很融洽。但他一直都快乐不起来，因为他家里有件事情令他很头疼。

农夫有四个儿子，都已娶妻生子，但他们之间却时常发生争吵，有时还要拳脚相加。不但如此，他们在吵得天翻地覆之后，还常常来找父亲评理，搞得老人家也左右为难，心烦意乱。然而，不管父亲怎样劝说，三天过后，孩子们还是照吵不误。

农夫感到寝食难安，他日夜苦思，觉得必须用事实来说服他们才行。

一天，农夫把他们兄弟四人叫到身边，并让老大拿来一捆树枝，老二拿来一根绳子，又让老三把树枝捆好，然后对他们说："孩子们，你们个个长得很壮，看看你们谁能把这捆树枝折断，谁折断了，谁就是我们家最有能力的人。"

父亲的这个提议引起了四兄弟的兴趣。兄弟四人轮流上阵，可是任凭他们怎样用力，谁也不能折断这一捆扎得很结实的树枝。然后，农夫让老四把那捆树枝解开，给他们每人一根。他们拿在手里，"咔嚓"一声，都很容易地把树枝折断了。

这时，农夫趁机教育他们说："孩子们，你们就像这捆树枝一样，团结起来，就是不可战胜的；但是如果你们不团结，老是争吵，别人就会趁机欺负你们。"

算命先生

有一天，一位算命先生在集市上摆摊。他在那里不停地吆喝着："百算百准，一算就灵，不灵不要钱！"他喊得很用心，可是人们都不相信他。

突然，有一位邻居来找他，说："喂，别在这里吆喝啦，快回家看看去吧！"

"出了什么事？"算命先生问。

"我刚才从你家门口经过，发现大门被人撬开了，屋里的东西都被搬空了！"邻居说。

算命先生一听，出了一身冷汗。他顾不得收拾自己的摊子，就往家里跑。进门一看，家里乱七八糟的，值钱的东西都没有了。

“怎么会这样呢？我才出门一小会儿。”算命先生坐在地上，又哭又喊。

邻居说：“哎呀，你天天替别人算命，早上出门时为什么不先给自己算算？如果你算出来今天家里会出事，留在家里就不会出现这种情况了。”

这时，周围的邻居也纷纷说：“你既然能算命，怎么连这点儿小事都算不出来？以后，我们可不要相信算命先生了。”

“我……我……”算命先生结结巴巴，不知道该怎样回答邻居的话。

真正的命运是掌握在我们自己手里的，不要听信算命先生的话。

想一想

邻居为什么让算命先生回家看看？算命先生面对邻居的议论和质疑表现如何？

猴子和狐狸

一天，本来安静的森林喧闹了起来，原来是百兽大会开始了。所有的动物都在那里唱啊，跳哇，欢乐的声音让整个森林都要跟着摇摆起来了。

忽然，所有动物的目光全都集中在了场地中央，在那里，猴子正在跳着优美的舞蹈，真是好看极了！所有的动物都屏住了呼吸，认真地看他跳舞。几曲结束后，动物们高兴极了，都要推选猴子为百兽之王。这时，狐狸很嫉妒猴子有这样的荣耀，于是他眼珠一转，一个主意就在脑海中冒了出来。

hú li shén mì de bǎ hóu zi jiào dào yì biān shuō dà wáng wǒ zhǎo dào le yí
狐狸神秘地把猴子叫到一边，说：“大王，我找到了一
ge cáng le hěn jiǔ de shí wù zì jǐ shě bu de chī jiù děng zhe sòng gěi dà wáng nín zuò
个藏了很久的食物，自己舍不得吃，就等着送给大王您做
lǐ wù ne wǒ dài nín qù qǔ ba hóu zi hěn gāo xìng jiù gēn zhe hú li zǒu le
礼物呢，我带您去取吧。”猴子很高兴，就跟着狐狸走了。
tā bù zhī dào hú li yào dài tā kàn de shì liè rén de bǔ shòu jiā dāng hóu zi xīng fèn de
他不知道，狐狸要带他看的是猎人的捕兽夹。当猴子兴奋地
zǒu qu ná shí wù de shí hou jiù bèi jiā zi láo láo de jiā zhù le hóu zi jí le mà
走去拿食物的时候，就被夹子牢牢地夹住了。猴子急了，骂
hú li shì gù yì xiàn hài tā de zhè shí hou hú li xiào le tā shuō ò hóu zi
狐狸是故意陷害他的。这时候狐狸笑了，他说：“哦，猴子
ya jiù nǐ zhè yàng de tóu nǎo zěn néng dāng shang bǎi shòu zhī wáng ne
呀，就你这样的头脑，怎能当上百兽之王呢？”

我的读后感
真正的王者，应该是一个充满智慧的人；
真正的王者，不会轻信他人的谎言。

赫耳墨斯和雕像者

希腊的奥林匹斯山是众神居住的地方。赫耳墨斯是天神宙斯的儿子，他主管畜牧、旅行和经商等方面的事情。为了工作，他经常来人间调查情况。

这天，他又来到了人间。他欣赏着人间的美景，他望着经过自己管理，长得那么肥壮的羊儿、马儿；望着旅行的人们开心的笑脸；望着商人们赚钱后喜悦的样子。他心想：人间这么繁荣，其中也有我的一份功劳，人们一定非常感激我。我要调查一下我在人间的地位如何。

于是，他变成一个凡人，来到了一个城市。赫耳墨斯来到一家卖雕像的店里，他看到柜台上摆着自己的雕像。他想：我的雕像的价格一定是最贵的，因为我对人间的功劳很大呀！但是他又不好意思直接问自己雕像的价格，便从父亲的雕像开始问起。他指着宙斯的雕像问：“这尊雕像多少钱？”

kuài
“1000块。”

bú gòu guì kàn lái fù qin de dì wèi yì bān hè ěr mò sī yòu zhǐ zhe hè lā de
不够贵，看来父亲的地位一般。赫耳墨斯又指着赫拉的

diāo xiàng wèn dào zhè zūn zhí duō shao qián
雕像问道：“这尊值多少钱？”

kuài
“2000块。”

tā xiǎng hè lā de dì wèi bǐ fù qin de dì wèi yào gāo yì diǎnr nà me wǒ de
他想：赫拉的地位比父亲的地位要高一点儿。那么我的

yí dìng shì zuì gāo de ba
一定是最高的吧！

tā yòu zhǐ zhe zì jǐ de diāo xiàng wèn zhè zūn diāo xiàng zhí duō shao qián ne
他又指着自己的雕像问：“这尊雕像值多少钱呢？”

lǎo bǎn huí dá shuō rú guǒ zhòu sī hé hè lā de diāo xiàng nǐ dōu yào zhè ge bái
老板回答说：“如果宙斯和赫拉的雕像你都要，这个白

sòng gěi nǐ bú yào qián
送给你，不要钱。”

想一想

赫耳墨斯为什么变成凡人来到卖雕像的店里？他的雕像值多少钱？

qiáng dào hé sāng shù
强盗和桑树

yí ge qiáng dào chuǎng rù yí hù rén jiā xiǎng yào tōu dōng xi jié guǒ
一个强盗闯入一户人家，想要偷东西，结果
bèi zhǔ rén fā xiàn le qiáng dào dān xīn zhǔ rén huì qù gào fā tā jiù chōu chū
被主人发现了。强盗担心主人会去告发他，就抽出
dāo lai bǎ zhǔ rén shā sǐ le
刀来，把主人杀死了。

shuí zhī qiáng dào gāng zǒu chu dà mén qià hǎo zhǔ rén de
谁知强盗刚走出大门，恰好主人的
ér zi huí lai le tā yí kàn jiàn qiáng dào hún shēn shì
儿子回来了。他一看见强盗浑身是
xiě jiù huāng huāng zhāng zhāng de wǎng wài pǎo bìng
血，就慌慌张张地往外跑，并
lì kè hǎn qi lai zhuā
立刻喊起来：“抓
qiáng dào wa qiáng dào shā
强盗哇，强盗杀
rén le
人了！”

xiāng qīn men tīng dào
乡亲们听到
hǎn shēng dōu chū lai wéi
喊声，都出来围
zhuī qiáng dào huāng máng
追强盗。慌忙

zhī zhōng qiáng dào duǒ dào yí ge qiáng jiǎo kě hái shi bèi rén fā xiàn le nà rén wèn tā
之中，强盗躲到一个墙角，可还是被人发现了。那人问他：

nǐ shì gàn shén me de duǒ zài zhè li gàn shén me
“你是干什么的，躲在这里干什么？”

wǒ shì hǎo rén dūn zài zhè li chéngliáng ne qiáng dào jiǎo biàn zhe
“我是好人，蹲在这里乘凉呢！”强盗狡辩着。

nà nǐ wèi shén me liǎng zhī shǒu dōu shì hóng de nà rén yòu wèn
“那你为什么两只手都是红的？”那人又问。

wǒ wǒ wǒ gānggāngcóngsāng shù shang zhāi le zǎo suǒ yǐ shǒu dōu bèi
“我……我……我刚刚从桑树上摘了枣，所以，手都被
rǎn chénghóng de le qiáng dào tūn tūn tǔ tǔ yǐ wéi néngpiàn guo qu
染成红的了！”强盗吞吞吐吐，以为能骗过去。

zhè shí zhǔ rén de ér zi dài zhe yì qún rén gǎn le guò lái lì kè bǎ qiáng dào kǔn
这时，主人的儿子带着一群人赶了过来，立刻把强盗捆
qi lai bìng qiě yòng dà dīng zi bǎ tā dìng zài yì kē sāng shù shang qiáng dào cháng tàn yì kǒu
起来，并且用大钉子把他钉在一棵桑树上。强盗长叹一口
qì shuō wǒ zěn me zhè me dǎo méi ne jīn tiān bèi dìng zài zhè sāng shù shang kàn lái
气，说：“我怎么这么倒霉呢？今天被钉在这桑树上，看来
shì sǐ dìng le
是死定了！”

sāng shù shuō nǐ néng sǐ zài wǒ shēnshang wǒ jiǎn zhí tài gāo xìng le yīn wei nǐ
桑树说：“你能死在我身上，我简直太高兴了！因为你
zì jǐ shā le rén jū rán xiǎng bǎ zuì lài zài wǒ de shēnshang
自己杀了人，居然想把罪赖在我的身上！”

nǚ wū
女巫

hěn jiǔ hěn jiǔ yǐ qián kē xué hái bú gòu fā dá nà shí hou rén men wǎng wǎng qīng xìn
很久很久以前，科学还不够发达，那时候人们往往轻信
shì jiè shang yǒu shén ér qiě shén yǒu shén qí de lì liang suǒ yǐ yǒu xiē piàn zi jiù lì
世界上有神，而且神有神奇的力量。所以，有些骗子就利
yòng le rén men de zhè zhǒng xīn lǐ kào qī piàn dà jiā lái huò qǔ cái fù
用了人们的这种心理，靠欺骗大家来获取财富。

yǒu yí ge nǚ wū tā jiù shì piàn zi zhōng de yí ge tā zhěng tiān zhuāng shén nòng
有一个女巫，她就是骗子中的一个。她整天装神弄
guǐ chuī xū tā huì huà fú niàn zhòu hái shuō tā néng píng xī shén de fèn nù néng gěi rén men
鬼，吹嘘她会画符念咒，还说她能平息神的愤怒，能给人们
xiāo zāi bì huò
消灾避祸。

jū rán hái zhēn yǒu bù shǎo rén xiāng xìn le tā de huǎng huà dàn shì yě yǒu rén kàn
居然还真有不少人相信了她的谎话。但是，也有人看
chuān le tā de guǐ zhǔ yi yǒu rén bǎ tā gào shang le fǎ tíng zhǐ kòng tā duì shén líng bú
穿了她的鬼主意。有人把她告上了法庭，指控她对神灵不

jìng zhòng xiǎng yào piàn qǔ tā rén de qián cái fǎ tíng jīng guò diào chá qǔ zhèng hòu zhèngmíng nǚ
敬重，想要骗取他人的钱财。法庭经过调查取证后，证明女

wū què shí yǒu zuì biàn pàn chǔ tā sǐ xíng
巫确实有罪，便判处她死刑。

zhí xíng sǐ xíng de rì zi dào le rén men fēn fēn yōngxiàngxíngchǎng xiǎng qīn yǎn kàn kan
执行死刑的日子到了，人们纷纷拥向刑场，想亲眼看看

zhè ge zuì rén dé dào tā yīng yǒu de xià chǎng dāng nǚ wū bèi yā wǎngxíngchǎng shí lù páng
这个罪人得到她应有的下场。当女巫被押往刑场时，路旁

yí ge xiǎo huǒ zi dà shēng hǎn dào wèi nǐ zhè ge huài nǚ rén nǐ bú shì shuō nǐ
一个小伙子大声喊道：“喂，你这个坏女人，你不是说你

néngpíng xī shén de fèn nù ma nǐ bú shì shuō nǐ néng wèi bié rén xiāo zāi bì huò ma wèi shén
能平息神的愤怒吗？你不是说你能为别人消灾避祸吗？为什

me xiàn zài nǐ lián wǒ men zhè me duō fán rén de fèn nù yě píng xī bu liǎo ne nǐ wèi shén me
么现在你连我们这么多凡人的愤怒也平息不了呢？你为什么

lián zì jǐ de shā shēn zhī huò yě bì bu diào ne
连自己的杀身之祸也避不掉呢？”

kě shì nǚ wū réng jiù dī zhe tóu yí jù huà yě shuō bu chū lái
可是，女巫仍旧低着头，一句话也说不出来。

想一想

女巫是怎么骗钱的？为什么女巫面对小伙子的质问一句话也说不出来？

lǎo rén hé sǐ shén
老人和死神

yǒu yí wèi bái fà cāngcāng de lǎo rén tā wú ér wú nǚ shēng huó tè bié xīn kǔ
有一位白发苍苍的老人，他无儿无女，生活特别辛苦。
tā měi tiān qù shānshang kǎn diǎnr chái rán hòu bēi dào jí shì shang qù mài jiù zhè yàng kào
他每天去山上砍点儿柴，然后背到集市上去卖，就这样靠
zhe zhè diǎnr jí shǎo de shōu rù wéi chí zhe shēng huó
着这点儿极少的收入，维持着生活。

yì tiān lǎo rén yòu dào shānshang qù kǎn chái kǎn xia yí dà kǔn shù zhī xīn xiǎng
一天，老人又到山上去砍柴，砍下一大捆树枝，心想：
mài le zhè xiē chái jiù néng mǎi dào liǎng tiān chī de miàn bāo le duō hǎo wa
卖了这些柴，就能买到两天吃的面包了，多好哇！

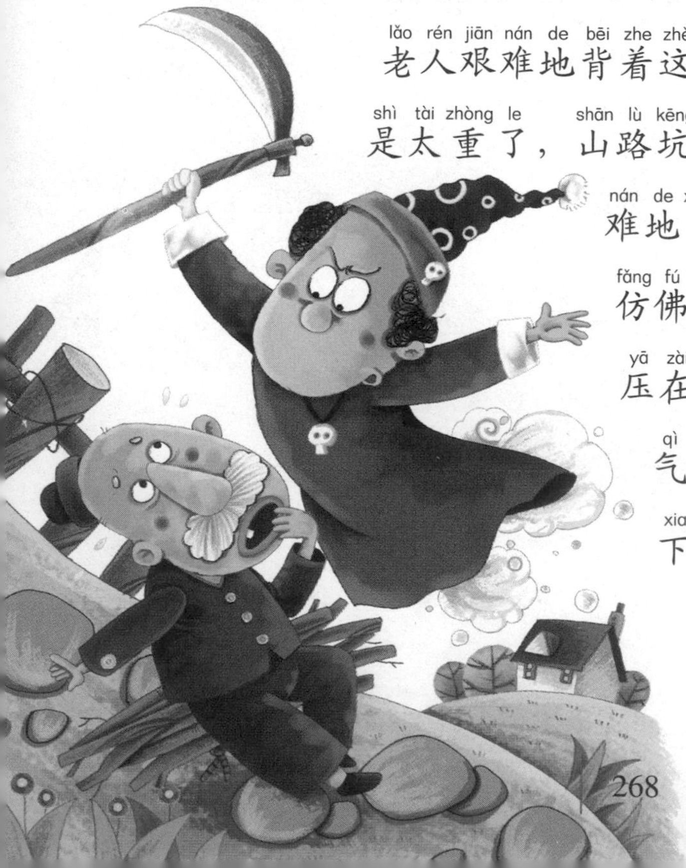

lǎo rén jiān nán de bēi zhe zhè kǔn chái wǎng shān xia zǒu chái kǔn shí zài
老人艰难地背着这捆柴往山下走。柴捆实在
shì tài zhòng le shān lù kēngkēng wā wā de tā yí bù yí bù jiān
是太重了，山路坑坑洼洼的，他一步一步艰
nán de xiàng qián nuó dong zhe bèi shang de chái kǔn
难地向前挪动着。背上的柴捆
fǎng fú biànchéng le yí zuò dà shān chénzhòng de
仿佛变成了一座大山，沉重地
yā zài tā de bèi shang yā de tā chuǎn bu guò
压在他的背上，压得他喘不过
qì lai tā shí zài lèi jí le biàn fàng
气来。他实在累极了，便放
xia chái kǔn xiē xi yí huìr
下柴捆歇息一会儿。

ài wǒ de rì zi zěn me zhè
“唉，我的日子怎么这
me xīn kǔ ne hái bù rú ràng sǐ shén
么辛苦呢！还不如让死神

dài wǒ dào shàng dì nàr qù ne
带我到上帝那儿去呢！”

sǐ shén tīng jiàn le lǎo rén de huà tā zhàn dào lǎo rén de miàn qián wèn lǎo ren
死神听见了老人的话，他站到老人的面前，问：“老人

jia gāng cái shì nǐ zài hū huàn wǒ ma nǐ yǒu shén me huà xiǎng duì wǒ shuō ne
家，刚才是你在呼唤我吗？你有什么话想对我说呢？”

lǎo rén kàn jiàn sǐ shén zhēn de lái le xià de lián máng gǎi kǒu shuō wǒ méi shén
老人看见死神真的来了，吓得连忙改口说：“我没什

me zhòng yào de shì wǒ zhǐ shì lèi jí le rú guǒ nǐ néng bāng wǒ bǎ zhè kǔn chái fàng
么重要的事，我只是累极了。如果你能帮我把这捆柴放

dào wǒ de jiān shang nà jiù hǎo le
到我的肩上，那就好了！”

zhè hǎo bàn sǐ shén tí qi chái kǔn fàng zài lǎo rén jiān shang shuō
“这好办！”死神提起柴捆，放在老人肩上说，

hái yǒu bié de shì ma
“还有别的事吗？”

méi yǒu le zhēn shì tài xiè xie nǐ le lǎo rén shuō
“没有了，真是太谢谢你了！”老人说。

我的读后感
一时逞口舌之快，或许会让自己好受一点儿，但是，经常抱怨，就可能会给自己带来不必要的麻烦。

凶手

从前，在埃及的一个城市里，有个人因为跟别人结仇，把人给杀死了。杀人凶手为了躲避法律的制裁，东躲西藏，过着流浪的生活。

这天，杀人凶手来到了尼罗河边。河水哗哗地流着，他走累了，便坐在河边休息。天快黑了，流浪了一天的他累得睡着了。

他睡着时，感觉有一只野兽来到了他的身边。他害怕地睁开了眼，一看，天哪，一条恶狼正张着大嘴，瞪着绿色的大眼睛看着他呢。

杀人凶手连忙爬了起来，向不远处的一棵大树跑去。他爬上了那棵大树，在树上直喘气。他想：好险哪，幸亏我跑得快，不然我就被狼吃掉了。

可是这时，一条青蛇从树上面朝他爬来。毒蛇吐着红色的芯子，可怕极了。毒蛇在一点儿一点儿地靠近，杀人凶手非常害怕，他来不及多想，“扑通”一声跳进了河里。

他哪里知道，这条河里是有鳄鱼的。他跳水的声音惊动了河里的一条大鳄鱼，大鳄鱼看到美食从天而降，非常高兴，迅速地游了过来，一口就咬住了他。

“天哪！我怎么这么倒霉呢？”杀人凶手临死之前喊道。

“你杀了人，无论你跑到哪里都逃不掉，这是你应有的下场。”大鳄鱼边吃边说。

杀人凶手在逃亡的路上遇见了哪些倒霉的事？这个故事让你感悟到了什么道理？

yú fū hé mán yú

渔夫和鳗鱼

yǒu yí wèi yú fū tā cháng nián zài hé biān dǎ yú dàn shì zuì jìn yí zhèn zi yùn
有一位渔夫，他长年在河边打鱼。但是，最近一阵子运
qi tè bié chà mǎn huái xī wàng de bǎ wǎng sā xia qu jié guǒ què shén me yě méi yǒu dǎ
气特别差，满怀希望地把网撒下去，结果却什么也没有打
dào jī hū měi yì wǎng dōu zhè yàng tā hěn jǔ sàng
到。几乎每一网都这样，他很沮丧。

zhè tiān yú fū zǎo zǎo de lái dào le hé biān tā yòng lì de sā xia yì zhāng dà
这天，渔夫早早地来到了河边，他用力地撒下一张大
wǎng rán hòu kāi shǐ xiǎo xīn yì yì de shōu zhe jīn tiān tā jué de wǎng sì hū chén le
网，然后开始小心翼翼地收着。今天，他觉得网似乎沉了
xiē xīn xiǎng yí dìng lāo shang yú le tā shōu wán wǎng fā xiàn zài wǎng de jiǎo luò li
些，心想：一定捞上鱼了。他收完网，发现在网的角落里
yǒu yì tiáo xiǎo mán yú zhǐ yǒu shǒu zhǐ nà me dà zhè yě ràng yú fū gǎn dào hěn gāo xìng
有一条小鳗鱼，只有手指那么大。这也让渔夫感到很高兴，
bì jìng zhè shì tā zuì jìn yǐ lái de dì yī cì shōu huò
毕竟这是他最近以来的第一次收获。

yú fū zhuā qi xiǎo mán yú zì yán zì yǔ de shuō zhè tiáo yúr suī rán xiǎo
渔夫抓起小鳗鱼，自言自语地说："这条鱼儿虽然小，
dàn zǒng bǐ méi yǒu qiáng shuō bu dìng zhè shì ge hǎo zhào tou
但总比没有强，说不定这是个好**兆头**（事先显现出来的迹象），
yǐ hòu wǒ hái huì dǎ dào gèng duō de yú ne
以后我还会打到更多的鱼呢。"

zhè shí xiǎo mán yú zài yú lǒu li shuō huà le tā kū zhe āi qiú yú fū shuō
这时，小鳗鱼在鱼篓里说话了，他哭着哀求渔夫说：
wǒ zhè me xiǎo zhǐ néng ràng nǐ chī yì kǒu nǐ jiù fā fa shàn xīn bǎ wǒ fàng le
"我这么小，只能让你吃一口，你就发发善心，把我放了

ba rú guǒ nǐ fàng le wǒ děng wǒ jiāng lái zhǎng chéng le dà yú nà shí hou nǐ zài chóng
吧！如果你放了我，等我将来长成了大鱼，那时候你再重
xīn zhuō wǒ jiù kě yǐ mài ge hǎo jià qian le bù rán jí shǐ nǐ zhuō dào wǒ zhè yàng de
新捉我，就可以卖个好价钱了。不然，即使你捉到我这样的
shí jǐ tiáo xiǎo yú yě bú gòu nǐ zì jǐ zuò yì wǎn cài de
十几条小鱼，也不够你自己做一碗菜的！”

yú fū shuō xiǎo jiā huo nǐ hěn huì shuō huà tīng qi lai yě sì hū hěn yǒu dào
渔夫说：“小家伙，你很会说话，听起来也似乎很有道
li kě shì wǒ yǐ jīng hǎo duō tiān méi yǒu dǎ dào yú méi yǒu chī dào yú le wǒ shì
理。可是，我已经好多天没有打到鱼，没有吃到鱼了。我是
bú huì fàng le nǐ de
不会放了你的。”

nǐ zhēn hěn xīn yě shì yí ge dà shǎ
“你真狠心，也是一个大傻
guā xiǎo mán yú shēng qì de shuō
瓜。”小鳗鱼生气地说。

shì de rú guǒ wǒ tīng nǐ de huà
“是的，如果我听你的话，

fàng qì yǐ jīng dào shǒu de lì yì què qù zhuī qiú nà xiē xū wú piāo miǎo
放弃已经到手的利益，却去追求那些**虚无缥缈**（虚幻渺茫，捉摸不定）的希望，那才是真正的傻瓜。”
de xī wàng nà cái shì zhēnzhèng de shǎ guā

我的读后感
一个人能识别他人的欺骗是必要的，但也不用逼人太甚，得饶人处且饶人。

shī zi hé hǎi tún
狮子和海豚

yǒu yì tóu shī zi zài hǎi biān sàn bù fā xiàn yì zhī hǎi tún cóng hǎi làng zhōng tàn chū nǎo
有一头狮子在海边散步，发现一只海豚从海浪中探出脑
dai lai jiù qǐng tā hé zì jǐ jiāo ge péng you bìng shuō zài suǒ yǒu yě shòu zhōng tā men liǎng
袋来，就请他和自己交个朋友，并说在所有野兽中，他们两
ge yīng gāi chéng wéi zuì hǎo de péng you yīn wei yí ge shì lù dì shang de bǎi shòu zhī wáng
个应该成为最好的朋友，因为一个是陆地上的百兽之王，
yí ge shì hǎi yáng zhōng de hǎi shòu zhī wáng hǎi tún tīng le shī zi de huà jiù hěn yú kuài de
一个是海洋中的海兽之王。海豚听了狮子的话，就很愉快地
tóng yì le guò le jǐ tiān shī zi hé yì tóu yě niú dǎ jià shī zi jiào hǎi tún lái bāng
同意了。过了几天，狮子和一头野牛打架，狮子叫海豚来帮
zhù tā hǎi tún suī rán shí fēn yuàn yì bāng zhù tā dàn jiù shì xīn yǒu yú ér lì bù zú
助他。海豚虽然十分愿意帮助他，但就是心有余而力不足，
yīn wei tā xiǎng jìn bàn fǎ yě shàng bu liǎo lù dì shī zi mà tā bú gòu yì qi
因为他想尽办法也上不了陆地。狮子骂他不够义气。

hǎi tún huí dá shuō bù bú yào zé bèi wǒ wǒ de péng you shì dà zì
海豚回答说：“不，不要责备我，我的朋友，是大自
rán gěi le wǒ hǎi shang de tǒng zhì quán què wán quán méi yǒu gěi wǒ zài lù dì shang shēng huó
然给了我海上的统治权，却完全没有给我在陆地上生活
de néng lì
的能力。”

想一想

狮子为什么骂海豚不够义气？你对海豚的回答有什么看法？

穷人和钱包

从前，有一个穷人，他做梦都想成为有钱人。有一天，他自言自语地说：“我要是有钱了，一定要好好儿地享受，买好吃的东西和漂亮的衣服，再把用不完的钱送给穷人。”

突然，从墙缝里钻出来一个人，他大叫一声：“说得真好哇！我来帮你成为一名富翁。”他说着递给穷人一个钱包，说：“你别看现在这钱包里只有一块金币，可当你拿出来以后，钱包里就会又出现一块，你永远也拿

bu wán zhè yàng nǐ jiù huì chéng wéi shì jiè shang zuì yǒu qián de rén
不完。这样，你就会成为世界上最有钱的人。”

qióng rén wàng zhe tā dèng zhe yǎn zhāng dà le zuǐ ba zhè shì zhēn de ma wǒ
穷人望着他，瞪着眼，张大了嘴巴：“这是真的吗？我
bú shì zài zuò mèng ba
不是在做梦吧？”

nà rén shuō nǐ yí dìng yào jì zhù rú guǒ nǐ jué de ná gòu le jīn bì jiù
那人说：“你一定要记住，如果你觉得拿够了金币，就
bì xū bǎ qián bāo diū dào hé li qù huà yīn gāng luò zhè ge rén jiù xiāo shī le
必须把钱包丢到河里去！”话音刚落，这个人就消失了。

qióng rén tài gāo xìng le tā ná guo qián bāo qǔ chu dì yī kuài jīn bì tā hěn
穷人太高兴了，他拿过钱包，取出第一块金币，他很
kuài fā xiàn qián bāo li zhēn de yòu chū xiàn le yí kuài tā yòu ná yí kuài yòu chu xiàn yí
快发现钱包里真的又出现了一块，他又拿一块，又出现一
kuài tā zǒng yě ná bu wán
块，他总也拿不完。

tā gāo xìng de hǎn zhe wǒ yǒu qián le wǒ
他高兴地喊着：“我有钱了，我
chéng fù wēng le
成富翁了！”

chéng wéi fù wēng de qióng rén kāi shǐ pán
成为富翁的穷人开始盘
suan zěn yàng shēng huó wǒ yào mǎi yí ge
算怎样生活：我要买一个
piào liang de fáng zi zuì
漂亮的房子，最

好是有花园的别墅；我还要买名贵的家具，雇佣仆人给我打扫卫生，做饭，修理花园；我还要去买名牌服装，坐着漂亮的马车到处去旅行……但是，这些计划要实现，我就得先把钱攒起来。

为此，穷人开始每天攒钱了。他每天忙着从钱包里掏金币，掏了很多，却一个也不舍得花。金币铺得满地都是了，可是他还想："这钱包还能用，不能丢到河里去，我还要攒更多的钱。"

慢慢地，金币堆了半屋子，他觉得够用了，于是决定把钱包丢到河里去。可是，他来到河边，刚伸出手，就又缩回去了：他还是不舍得丢掉这个钱包。

他想：等金币堆满一屋子再说吧！

一天天过去了，一年年过去了，穷人也变老了。临死的那天，他望着满屋的金币，也不舍得给自己买好吃的，买药品。他就这样手里紧紧地捏着钱包死了。

后来，人们在破茅屋里发现了他的尸体。

在他身边，堆放着数不清的像山一样的金币！

liǎng zhī qīng wā
两只青蛙

zhè nián xià tiān tiān qì tài rè le chí táng li de shuǐ quán bèi shài gān le zhù zài
这年夏天，天气太热了，池塘里的水全被晒干了。住在
chí táng li de liǎng zhī qīng wā zhǐ hǎo qù xún zhǎo xīn de jiā
池塘里的两只青蛙，只好去寻找新的家。

tā men lái dào jǐng biān yì zhī qīng wā cēng de yì shēng tiào shang le jǐng yán kàn
他们来到井边，一只青蛙“噌”的一声跳上了井沿，看
dào jǐng lǐ miàn zhuāng mǎn le qīng liáng de shuǐ jiù xiǎng zhè yàng tiào xia qu le lìng yì zhī qīng
到井里面装满了清凉的水，就想这样跳下去了。另一只青
wā máng lā zhù tā shuō nǐ zěn me zhè yàng hú tu wa yào shi yǒu yì tiān zhè jǐng li
蛙忙拉住他，说：“你怎么这样糊涂哇！要是有一天这井里
de shuǐ yě gān le nǐ zěn me chū lai ne zài zuò shì qing zhī qián nǐ bú huì dòng nǎo zi
的水也干了，你怎么出来呢？在做事情之前，你不会动脑子
xiǎng yí xià hòu guǒ ma
想一下后果吗？”

我的读后感
作出一个决定之前要考虑后果；听听朋友的劝告也是非常必要的。

lǎo shǔ māo hé gōng jī
老鼠、猫和公鸡

xiǎo lǎo shǔ méi yǒu jiàn guo shén me shì miàn yì tiān fàng xué huí jiā hé mā ma shuō dàng tiān de zāo yù
小老鼠没有见过什么世面，一天放学回家和妈妈说当天的遭遇。

mā ma wǒ kàn jiàn le yí ge guài wu kě bǎ wǒ xià huài le tā tóu shang dǐng ge hóng guān zi xiōng bā bā de dīng zhe wǒ tā hái yǒu ge jiān zuǐ ba zhāng de hǎo dà jiào de shēng yīn hěn cì ěr hěn xià rén
“妈妈，我看见了一个怪物，可把我吓坏了！他头上顶个红冠子，凶巴巴地盯着我。他还有个尖嘴巴，张得好大，叫的声音很刺耳，很吓人。”

lǎo shǔ mā ma tīng le hā hā dà xiào shǎ hái zi nà zhǐ shì yì zhī gōng jī bú huì shāng hài nǐ de
老鼠妈妈听了哈哈大笑：“傻孩子，那只是一只公鸡，不会伤害你的。”

kě shì mā ma tā hái shi hěn tǎo yàn běn lái wǒ kě yǐ hé yí ge xiǎo kě ài jiāo péng you de tā de máo hé wǒ men de yí yàng róu ruǎn tā jiù xiàng ge tiān shǐ hěn wēn hé de kàn zhe wǒ yáo zhe
“可是妈妈，他还是很讨厌！本来我可以和一个小可爱交朋友的。他的毛和我们的一样柔软，他就像个天使，很温和地看着我，摇着

tā de cháng wěi ba tā yí dìng shì yào hé wǒ jiāo péng you wǒ běn lái xiǎng kào jìn tā
他的长尾巴。他一定是要和我交朋友。我本来想靠近他，
kě nà dà guài wu kāi shǐ wō wō jiào le wǒ xià de yì kǒu qì pǎo le huí lái
可那大怪物开始‘喔喔’叫了，我吓得一口气跑了回来。”

tiān na xìng hǎo nǐ pǎo hui lai le hái zi nǐ shuō de tiān shǐ jiù shì
“天哪！幸好你跑回来了！孩子，你说的‘天使’就是
wǒ men zuì dà de dí rén māo tā yì kǒu jiù néng bǎ nǐ chī diào
我们最大的敌人——猫。他一口就能把你吃掉。”

suǒ yǐ wǒ men bù néng bèi shì wù de wài biǎo suǒ mí huo ya měi lì de jiǎ
所以，我们不能被事物的外表所迷惑呀，美丽的假
xiàng cái zuì kě pà li
象才最可怕哩！

猎人和狮子

有一个老猎人长年在山里打猎，他练就了一身出色的本事。他的箭法是百发百中，凡是他见到的猎物，没有一个能逃脱他的神箭的。

一天，猎人照旧进山去打猎。动物们早就听说这位猎人十分厉害。所以，个个**闻风丧胆**（形容极端恐惧），掉头就跑。

一头狮子心想：我是兽中之王，怎么能轻易逃跑呢？太丢面子了。于是，他对逃跑的动物大喊道："慌什么？真是一帮胆小鬼！我倒要亲自去会一会这位猎人，看他能把我怎么样！"

狮子大摇大摆地向猎人走来。猎人一箭就射中了狮子的前胸。猎人看见已经射中了狮子，就说："我的箭是我的使者，就让我的使者会会你吧，看看你有多大的本事。"

受伤的狮子拔腿就要跑，一只狐狸说："大王，您不是说您不会轻易逃跑吗？"

shī zi shuō péng you nǐ méi kàn jiàn ma liè rén de shǐ zhě dōu rú cǐ lì
狮子说：“朋友，你没看见吗？猎人的使者都如此厉

hai rú guǒ tā qīn zì jìn gōng wǒ zěn me kě néng chī de xiāo ne
害，如果他亲自进攻，我怎么可能吃得消呢？”

我的读后感
说大话的人，未必是行动到位的人；做事要灵活，不要受舆论的限制。

青蛙朋友

从前，有两只青蛙是好朋友。他们一只住在深水池塘里，一只住在浅水沟里。池塘在一座大山脚下，水面漫着浮萍，靠边的是一丛丛的芦苇，再外面是高大的枫树。那里白天非常阴凉，晚上也很安静。青蛙对自己的住处非常满意。

一天，住在池塘里的青蛙去看望他那住在浅水沟里的朋友。他来到浅水沟边，刚好一辆马车飞驰而过，险些把他压扁了。青蛙差点儿魂儿都吓掉了。

dào le péng you jiā li tā gǎn kuài quàn shuō dào nǐ hái shi bān dào wǒ nà li qù zhù
到了朋友家里，他赶快劝说道：“你还是搬到我那里去住
ba nàr chī de duō yòu níng jìng nǐ kàn nǐ zhè li yòu zāng yòu bù ān quán
吧，那儿吃的多，又宁静。你看你这里，又脏又不安全。”
qīng wā péng you hěn gù zhi shuō shén me yě bú yuàn yì lí kāi
青蛙朋友很固执，说什么也不愿意离开。

bù jiǔ qīng wā yòu lái kàn wàng tā de péng you kě shì zěn me yě zhǎo bu dào tā
不久，青蛙又来看望他的朋友，可是怎么也找不到他
le zhǐ kàn jiàn qiǎn shuǐ gōu páng biān yǒu ge gān biě de zhǐ shèng xia ké de dōng xi yǒu diǎnr
了。只看见浅水沟旁边有个干瘪得只剩下壳的东西，有点儿
xiàng tā de qīng wā péng you de tǐ xíng
像他的青蛙朋友的体形。

想一想

住在池塘里的青蛙去看望住在浅水沟里的青蛙的路上发生了什么事？住在浅水沟里的青蛙为什么死了？

____

狮子和公牛

狮子躺在洞里，头枕着双手，睡着了。他做了一个美梦，梦见他的大锅里正炖着稠稠的牛头萝卜汤，烤架上叉着两个烤得滴油的大牛腿，盘子里装着嫩嫩的小牛排……他的胡子都被口水浸透了。

一觉醒来，对着空荡荡的屋子，狮子心里发空。他作了一个重大的决定：一定要杀死公牛。可是，公牛那么强大，他怎样才杀得了呢？

于是，狮子邀请公牛到家里一起享用烤全羊，他想趁公牛坐着等他端羊肉来的时候一刀宰了他。

gōng niú lái dào shī zi jiā fā xiàn tā jiā li chú le yì kǒu kōng de dà guō hé liǎng bǎ
公牛来到狮子家，发现他家里除了一口空的大锅和两把
kǎo ròu chā yǐ wài shén me yě méi yǒu tā zhuǎn shēn jiù pǎo le chū lái shī zi zhuī zài
烤肉叉以外，什么也没有。他转身就跑了出来。狮子追在
hòu miàn hǎn dào niú lǎo gē nǐ hái méi chī kǎo yáng ne zěn me jiù zǒu la
后面喊道：“牛老哥，你还没吃烤羊呢，怎么就走啦？”

gōng niú biān pǎo biān huí tóu dá dào wǒ kàn nǐ bú shì yào chī kǎo quán yáng ér shì
公牛边跑边回头答道：“我看你不是要吃烤全羊，而是
xiǎng chī kǎo niú ròu ba
想吃烤牛肉吧！”

shī zi zhòu sī hé dà xiàng
狮子、宙斯和大象

shī zi shì sēn lín zhī wáng měi tiān zuò zài wáng wèi shang fā bù mìng lìng jiē shòu bǎi shòu de cháo bài niǎor men yě wèi tā chàng chu měi miào dòng tīng de gē

狮子是森林之王，每天坐在王位上发布命令，接受百兽的朝拜，鸟儿们也为他唱出美妙动听的歌。

kě shì shī zi què hěn pà yì zhǒng dōng xi nà jiù shì gōng jī de jiào shēng měi tiān qīng chén shī zi dōu huì bèi gōng jī qīng cuì de tí shēng chǎo xǐng xǐng hòu hài pà de suō zài bèi zi li zhè shì duō me kě xiào wa

可是，狮子却很怕一种东西，那就是公鸡的叫声。每天清晨，狮子都会被公鸡清脆的啼声吵醒，醒后害怕得缩在被子里——这是多么可笑哇！

shī zi wèi zì jǐ de dǎn xiǎo gǎn dào fēi cháng bù mǎn yì tiān tā lái dào zhòu sī miàn qián xiàng tā sù shuō zì jǐ xīn zhōng de kǔ nǎo zhòu sī tīng le xiào zhe shuō wǒ yǐ jīng gěi le nǐ yǒng qì hé wēi yán nǐ yīng gāi gǎn dào mǎn zú cái duì

狮子为自己的胆小感到非常不满。一天，他来到宙斯面前，向他诉说自己心中的苦恼。宙斯听了，笑着说：“我已经给了你勇气和威严，你应该感到满足才对。”

zhèng zài zhè shí yì zhī dà xiàng guò

正在这时，一只大象过

来了，他不停地摇晃着蒲扇般的大耳朵。狮子感到很奇怪，忙问：“你怎么老是摇耳朵呢？”

大象继续摇着耳朵说：“你没看见那只嗡嗡叫的蚊子吗？如果他钻进了我的耳朵，我就没命啦！”

狮子心想：像大象这么庞大的家伙都怕一只小小的蚊子，而跟蚊子比起来，公鸡要大得多，这样说来，我也要比大象好得多啦。于是，狮子笑得嘴都合不拢了。

想一想

每天清晨，狮子因为什么事害怕得缩在被子里？后来，他又因为什么事笑得合不拢嘴？

富人给哭丧女金币

从前有一个富人，他家财万贯。他的妻子为他生下了两个女儿。富人的大女儿长得貌美如花，十分俊俏。她的头发飘逸，身材婀娜（轻盈、柔美），长得无可挑剔。虽然小女儿年纪还小，但长得也和姐姐一样美丽，而且更加天真活泼，格外惹人喜欢。

但是，不幸降临到了他们家。富人的大女儿患上了一种不治之症，在床上躺了两年，最后也没能治好，死去了。

临死前，大女儿对富人说："父亲，我真不愿离开这个美好的世界，我死后

nǐ men yào hǎo hāor de huó zhe bú yào wèi wǒ shāng xīn dà nǚ ér sǐ hòu fù rén
你们要好好儿地活着，不要为我伤心。”大女儿死后，富人
wèi le biǎo shì duì nǚ ér de āi dào biàn huā qián gù le yì xiē kū sāng nǚ lái wèi nǚ ér kū
为了表示对女儿的哀悼，便花钱雇了一些哭丧女来为女儿哭
sāng fù rén duì kū sāng nǚ men shuō zhǐ yào nǐ men néng rèn zhēn de kū kū chū zhēn
丧。富人对哭丧女们说：“只要你们能认真地哭，哭出真
zhèng de bēi shāng lai wǒ shì bú huì zài hu qián de tīng le fù rén de huà kū sāng
正的悲伤来，我是不会在乎钱的。”听了富人的话，哭丧
nǚ men kū de shí fēn zhēn qiè tā men fàng kai hóu long zhí kū
女们哭得十分真切。她们放开喉咙，直哭
de tiān shàng de liú yún bù piāo shuǐ li de yúr
得天上的流云不飘，水里的鱼儿
bù yóu jiù lián fēng dōu fǎng fú tíng zhì bú
不游，就连风都仿佛停滞不
dòng le
动了。

zhè shí xiǎo nǚ ér duì mǔ qin
这时，小女儿对母亲
shuō mǔ qin na wǒ men zhēn
说：“母亲哪，我们真
bú xìng yǒu le sāng shì bú huì jìn
不幸，有了丧事，不会尽
āi ér zhè xiē fēi qīn fēi gù
哀，而这些非亲非故
de rén què shì zhè yàng shǐ
的人，却是这样使
jìn de chuí xiōng tòng kū
劲地捶胸痛哭。”

mǔ qin tīng le xiǎo nǚ
母亲听了小女
ér de huà duì tā
儿的话，对她
shuō shàn liáng de
说：“善良的

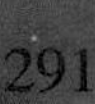

nǚ ér a nǐ bù zhī dào zhè xiē rén de zhēn shí mù dì tā men dōu shì yīn wei nǐ fù qin
女儿啊，你不知道这些人的真实目的，她们都是因为你父亲
huì gěi tā men jīn bì cái tòng kū de ya
会给她们金币才痛哭的呀。”

我的读后感

富人给哭丧女金币，却买不来哭丧女真正的悲伤。看来，真挚的感情是不能用钱买的，亲人之间的爱更是和金钱毫不沾边。

xióng hé liǎng ge lǚ xíng zhě
熊和两个旅行者

yǒu liǎng ge hǎo péng you tā men yuē dìng yì qǐ qù lǚ xíng lǚ xíng de lù chéng hěn
有两个好朋友，他们约定一起去旅行。旅行的路程很
cháng bìng qiě chōng mǎn le gè zhǒng gè yàng de wēi xiǎn tā men hù xiāng yuē dìng zài wēi nàn
长，并且充满了各种各样的危险。他们互相约定，在危难
de shí hou yí dìng yào hù xiāng bāng máng shuí yě bù néng fàng qì shuí
的时候，一定要互相帮忙，谁也不能放弃谁。

zhè yì tiān tā men lái dào le yí ge dà sēn lín li sēn lín li de shù mù yòu nóng
这一天，他们来到了一个大森林里。森林里的树木又浓
yòu mì tā men hěn hài pà yīn wei shí kè huì yù dào xiōng měng de yě shòu
又密，他们很害怕，因为时刻会遇到凶猛的野兽。

tā men yì qǐ xiǎo xīn yì yì de zài sēn lín li zǒu zhe zǒu zhe zǒu zhe hū
他们一起小心翼翼地在森林里走着，走着走着，忽
rán cóng qián miàn zǒu lai yì tóu xióng diào tóu táo pǎo yǐ jīng lái bu jí le zěn me
然从前面走来一头熊。掉头逃跑已经来不及了，怎么
bàn ne qí zhōng de yí ge hěn kuài pá dào le shù shang zài shù zhī jiān bǎ
办呢？其中的一个很快爬到了树上，在树枝间把
zì jǐ cáng le qǐ lái tā xiǎng xióng bú huì pá shù yí dìng bú huì
自己藏了起来。他想：熊不会爬树，一定不会

吃到我。另一个见无处可逃，想起熊不吃死人，就直挺挺地躺在地上装死。

熊慢慢地走近了，躺在地上的这个人很害怕，他屏住呼吸，一动不动。熊过来闻了闻，发现这是个死人，就走开了。

等熊走远了，爬到树上的那个人才下来。他走到朋友身边，开玩笑地问：“刚才，熊趴到你的耳边，对你说了些什么？”他的朋友很生气，心想：以后我再也不跟你这样的人做朋友了。于是他回答道：“熊给了我一个忠告：不要和一个在大难临头时抛弃你的朋友一起旅行，这样的人也不配做你的朋友。”

想一想

两个好朋友在去旅行时作了什么约定？在大森林里遇见熊时，他们分别是怎么应对的？

láng hé lù sī
狼和鹭鸶

yì tiān láng chī wǔ fàn shí bù xiǎo xīn bèi yì gēn gǔ tou gěi qiǎ zhù le sì
一天，狼吃午饭时不小心被一根骨头给卡住了，四
chù qiú yī
处求医。

tā yù dào le lù sī yī shēng zhuāng de hěn chéng kěn de yàng zi shuō lù sī
他遇到了鹭鸶医生，装得很诚恳的样子，说：“鹭鸶
yī shēng qǐng nǐ bāng wǒ bǎ hóu long li de gǔ tou qǔ chu lai ba zhǐ yào nǐ bǎ wǒ zhì hǎo
医生，请你帮我把喉咙里的骨头取出来吧！只要你把我治好
le wǒ yí dìng fù gěi nǐ hěn gāo de bào chou
了，我一定付给你很高的报酬。”

lù sī èr huà bù shuō jiù bǎ tóu shēn jin láng zuǐ li qǔ chu le nà gēn gǔ tou
鹭鸶二话不说，就把头伸进狼嘴里，取出了那根骨头。
rán hòu lù sī shuō láng dà gē wǒ yǐ jīng bǎ nǐ zhì hǎo le qǐng fù nǐ gāng cái chéng
然后鹭鸶说：“狼大哥，我已经把你治好了，请付你刚才承
nuò de bào chou ba láng chén le liǎn mó zhe yá chǐ shuō dǎ wǒ shēng xia lai qǐ
诺的报酬吧。”狼沉了脸，磨着牙齿说，“打我生下来起，
néng cóng wǒ de zuǐ li bǎ gǔ tou qǔ chu lai de kǒng pà hái zhǐ yǒu nǐ yí ge ne nǐ jiù
能从我的嘴里把骨头取出来的，恐怕还只有你一个呢。你就
tōu zhe lè qù ba hái gǎn lái xiàng wǒ suǒ qǔ bào chou
偷着乐去吧，还敢来向我索取报酬！”

狼刚开始遇见鹭鸶医生时的态度如何？当鹭鸶医生向他索要报酬时，他的态度又如何？

____

xióng hé hú li
熊和狐狸

yì tiān dà pàng xióng zài lù shang lǎn yáng yáng de zǒu zhe yíng miàn lái le yì zhī hú li
一天，大胖熊在路上懒洋洋地走着，迎面来了一只狐狸。

hú li gēn xióng dǎ zhāo hu shuō zǎo shang hǎo wa pàng jiā huo nǐ zhè shì yào qù nǎ li ne
狐狸跟熊打招呼，说：“早上好哇，胖家伙，你这是要去哪里呢？”

xióng duì tā shuō wǒ qù zhǎo dōng xi chī kě shì wǒ bù chī rén lián tā men de shī tǐ wǒ dōu xiǎo xīn de bǎo hù zhe nǐ kàn wǒ shì duō me rén cí shàn liáng a
熊对他说：“我去找东西吃，可是我不吃人，连他们的尸体我都小心地保护着。你看，我是多么仁慈、善良啊！”

hú li shuō zhēn de ma wǒ kàn nǐ hái shi zhǐ chī sǐ rén ba bú yào zài qù shāng hài huó rén le
狐狸说：“真的吗？我看你还是只吃死人吧，不要再去伤害活人了。”

兄妹

农夫有一个儿子和一个女儿，儿子长得十分俊俏，而女儿却奇丑无比。

有一天，两个孩子在一起玩儿。他们看到椅子上放着一面镜子，就一起照了起来。儿子看到镜子里的自己，高兴地说："瞧，我这张脸蛋，比女孩长得都好看哪！"

女儿大发脾气，她想：哥哥，至于这么得意吗？你这是在笑话我长得丑吧！她生气极了，跑到父亲面前哭

了起来：“爸爸，哥哥是个男孩儿，却偏偏爱照镜子，还笑话人。”

农夫亲切地抱住两个孩子，亲吻了他们两个的脸颊，说：“我希望你们两个每天都能照照镜子。我亲爱的儿子，我希望你不要用类似笑话别人的不良行为，来玷污你美好的外表；而你，我可爱的女儿，你可以用你的善良和美德，弥补你不美的外表。这样，你们两个都会越来越美！”

外表美和心灵美，两者都很珍贵！

我的读后感
一个人，不要因为外貌不够美而自卑，可以提高自己的道德修养，来弥补相貌的不足；与人相处，说话、做事要考虑对方的感受。

母狗和她的孩子

一只母狗马上就要生小宝宝了，她请求牧人给她一块地生孩子。牧人很善良，他看到狗妈妈很可怜，立刻就答应了。

几天后，狗妈妈生下了几个可爱的小宝宝。可是，他们都好娇弱好瘦小，于是狗妈妈又请求牧人，让他们多住一段时间，好让小宝宝长大。好心的牧人又答应了。

后来，小宝宝们健康地长大了。牧人跟狗妈妈要地时，狗妈妈却凶巴巴地说："你以后不要再靠近我们了！"牧人看到她的孩子那么强壮，只好不开心地离开了。

想一想

狗妈妈向牧人请求牧人给予她什么帮助？后来，牧人为什么没有要回自己的地？

____

狡猾的狮子

在绿油油的草地上，一头肥壮的公牛正美美地享用着午餐。狮子看到这个情景，不由得舔舔舌头，好想立刻就把他捉住吃掉。可是，狮子又想：公牛的尖角好厉害呀，万一不小心，肚皮被他戳破就不好了呀。于是，狮子退到了一边，开始挠着头想主意。

过了一会儿，狮子慢慢地凑到公牛身边，笑嘻嘻地大声说：“啊，健壮的公牛哇！你是我见过的最英武的男子了，我在远处就被你强有力的四肢、健美的身材所迷倒了！”他停了一下，换上一副惋惜的表情继续说，“可是，我真的不明白，为什么你要有那对难看的角呢？它们使你的漂亮不见了呀！我强烈建议，为了让我们看到更加杰出的你，你去把那不好看的角磨掉吧。”

gōng niú zài cǎo dì shang xiǎng a xiǎng a tā jìng rán xiāng xìn le shī zi de huà
公牛在草地上想啊，想啊，他竟然相信了狮子的话，
bǎ jiǎo mó diào le jié guǒ méi guò duō jiǔ shī zi jiù bǎ nà tóu gōng niú chī diào le
把角磨掉了。结果，没过多久，狮子就把那头公牛吃掉了，
tā hái yì biān dǎ zhe bǎo gé yì biān xiào gōng niú de yú chǔn ne
他还一边打着饱嗝，一边笑公牛的愚蠢呢。

想一想

狮子为什么没有立即对公牛发起进攻？狮子为什么建议公牛磨掉角？你怎么看待公牛磨掉角的行为？

______

pī zhe yáng pí de láng
披着羊皮的狼

shān lín li yǒu yì zhī láng yǐ jīng yǒu liǎng tiān méi yǒu chī dào rèn hé shí wù le tā hěn xiǎng zhè shí néng yǒu yì zhī féi zhuàng de yáng lái chī dàn shì zěn yàng cái néng zuān jin mù yáng rén de yáng juàn li ér bú bèi rén fā xiàn ne tū rán tā yǒu le yí ge hǎo zhǔ yi rú guǒ wǒ pī shang yáng pí zhuāng bàn chéng yáng bú jiù kě yǐ le ma

山林里，有一只狼已经有两天没有吃到任何食物了。他很想这时能有一只肥壮的羊来吃。但是怎样才能钻进牧羊人的羊圈里而不被人发现呢？突然，他有了一个好主意：如果我披上羊皮，装扮成羊不就可以了嘛！

yú shì láng zhēn de pī shang le yáng pí bèi mù yáng rén dàng zuò yáng hé bié de yáng yì tóng guān jin le yáng juàn li zhè yàng tā jiù kě yǐ suí xīn suǒ yù de chī yáng le

于是，狼真的披上了羊皮，被牧羊人当作羊和别的羊一同关进了羊圈里。这样，他就可以随心所欲地吃羊了。

dàn shì hǎo shì zǒng bù cháng jiǔ zhōng yú yǒu yì tiān bèi mù yáng rén fā xiàn le mù yáng rén bǎ láng dào diào zài shù shang réng jiù ràng tā pī zhe yáng pí yǒu jǐ ge mù yáng rén jīng guò shí fā xiàn le biàn tíng xia lai wèn nà wèi mù yáng rén wèi shén me yào zhè yàng duì dài yáng mù yáng rén shuō nǐ men zài zǐ xì kàn kan zhè

但是好事总不长久，终于有一天被牧羊人发现了。牧羊人把狼倒吊在树上，仍旧让他披着羊皮。有几个牧羊人经过时发现了，便停下来问那位牧羊人为什么要这样对待羊。牧羊人说：“你们再仔细看看，这

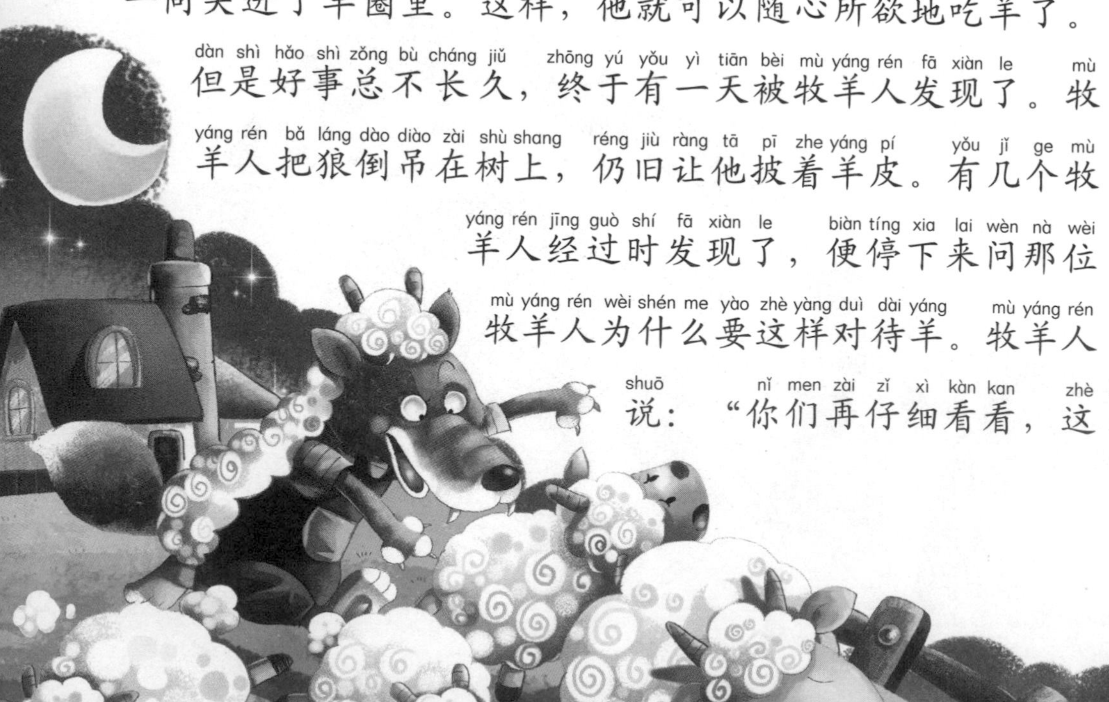

shì yáng hái shì láng děng dào zài kào jìn xiē tā men cái fā xiàn zhè gēn běn bú shì yáng ér
是羊还是狼。”等到再靠近些，他们才发现这根本不是羊而

shì yì zhī láng mù yáng rén jiē zhe shuō zhè jiù shì wǒ de dài láng zhī fǎ nǎ pà tā
是一只狼。牧羊人接着说：“这就是我的待狼之法，哪怕他

pī shang le yáng pí
披上了羊皮！”

我的读后感
事物的外表有时候会掩盖它的本质，所以我们不能只凭表面现象就作判断。

māo hé niǎo
猫和鸟

lín zhōng de bái huà shù shang zhù zhe yì wō kě ài de niǎor tiān qì tū rán biàn lěng tā men quán dōu shēng bìng le
林中的白桦树上，住着一窝可爱的鸟儿。天气突然变冷，他们全都生病了。

māo tīng shuō le zhè jiàn shì qing mǎ shàng tào le yí jiàn bái dà guà bēi zhe hóng shí zì de yī yào xiāng jiǎ bàn chéng yī shēng lái dào le bái huà shù páng
猫听说了这件事情，马上套了一件白大褂，背着红十字的医药箱，假扮成医生，来到了白桦树旁。

qīn ài de xiǎo niǎor tīng shuō nǐ men bìng le wǒ shì sēn lín yī shēng qǐng dǎ kāi nǐ men de mén ba māo zài mén kǒu xì shēng xì qì de shuō dào
“亲爱的小鸟儿，听说你们病了，我是森林医生，请打开你们的门吧。”猫在门口细声细气地说道。

niǎor men cóng mén fèng zhōng wǎng wài yí kàn kàn dào māo zhuǎ zi dā zài mén kǒu biàn shuō xiè xie la zhǐ yào nǐ lí kāi wǒ men de bìng mǎ shàng jiù huì hǎo le
鸟儿们从门缝中往外一看，看到猫爪子搭在门口，便说：“谢谢啦，只要你离开，我们的病马上就会好了。”

想一想

猫听说鸟儿生病了是怎么表现的？鸟儿为什么没有相信猫的话？

____

cāng ying hé mì táng
苍蝇和蜜糖

xiǎo zhǔ rén píng shí zuì xǐ huan mì táng le měi tiān fàng xué huí jiā tā dōu huì xiān gū
小主人平时最喜欢蜜糖了。每天放学回家，他都会先咕
dōng gū dōng hē xia yí dà bēi mì táng shui
咚咕咚喝下一大杯蜜糖水。

cāng ying bǎo bao kàn jiàn le xiàn mù jí le tā duō me xiǎng cháng chang zhè shén qí de
苍蝇宝宝看见了，羡慕极了。他多么想尝尝这神奇的
mì táng shuǐ ya suǒ yǐ tā měi tiān dōu zài bà ba mā ma miàn qián chǎo nào fēi yào hē dào
蜜糖水呀！所以，他每天都在爸爸妈妈面前吵闹，非要喝到
tā bù kě zhè kě bǎ bà ba mā ma chóu huài le mì táng guàn zi fēng de nà me jiē shi
它不可。这可把爸爸妈妈愁坏了：蜜糖罐子封得那么结实，
zěn me dǎ de kāi ne
怎么打得开呢？

zhè tiān fàng xué hòu xiǎo zhǔ rén xiàng wǎng cháng yí yàng ná qi mì táng guàn zi hē kě
这天放学后，小主人像往常一样拿起蜜糖罐子喝，可
shì shǒu yì huá guàn zi yí bù xiǎo xīn diào dào dì shang shuāi suì le xiǎo zhǔ rén shāng xīn de
是手一滑，罐子一不小心掉到地上，摔碎了。小主人伤心地
kū le qǐ lái
哭了起来。

zhè xià kě bǎ cāng ying yì jiā lè huài le cāng ying bà ba dé yì de shuō zhēn shì
这下可把苍蝇一家乐坏了。苍蝇爸爸得意地说：“真是
dé lái quán bú fèi gōng fu wa wǒ de bǎo bèi zhè xià nǐ kě yǐ jìn qíng de chī ge gòu
得来全不费工夫哇！我的宝贝，这下你可以尽情地吃个够
le cāng ying mā ma gèng shì xìng gāo cǎi liè zhè me duō de mì táng wǒ men yě chī
了！”苍蝇妈妈更是兴高采烈：“这么多的蜜糖，我们也吃
bu wán wǒ qù bǎ zán men de lín lǐ jiē fang men dōu jiào lai rén duō lì liang dà wǒ men
不完！我去把咱们的邻里街坊们都叫来，人多力量大，我们
zhēng qǔ bǎ zhè xiē mì táng quán bù chī diào
争取把这些蜜糖全部吃掉。”

一会儿工夫，“嗡——嗡——嗡——”飞来了一群苍蝇。他们一闻到这香甜的气味，口水都要流出来了。一眨眼工夫，他们都飞到了蜜糖上，大吃特吃起来。

可是，意想不到的事情发生了。他们还没来得及细细品味这甜蜜的滋味，就发现自己的手脚被蜜糖牢牢地粘住了。尽管他们使出浑身力气，拼命拍打翅膀，可还是无法飞起来。

“妈妈，妈妈，快救我！”苍蝇宝宝大声呼救。

苍蝇妈妈无奈地说：“宝贝，妈妈也自身难保，

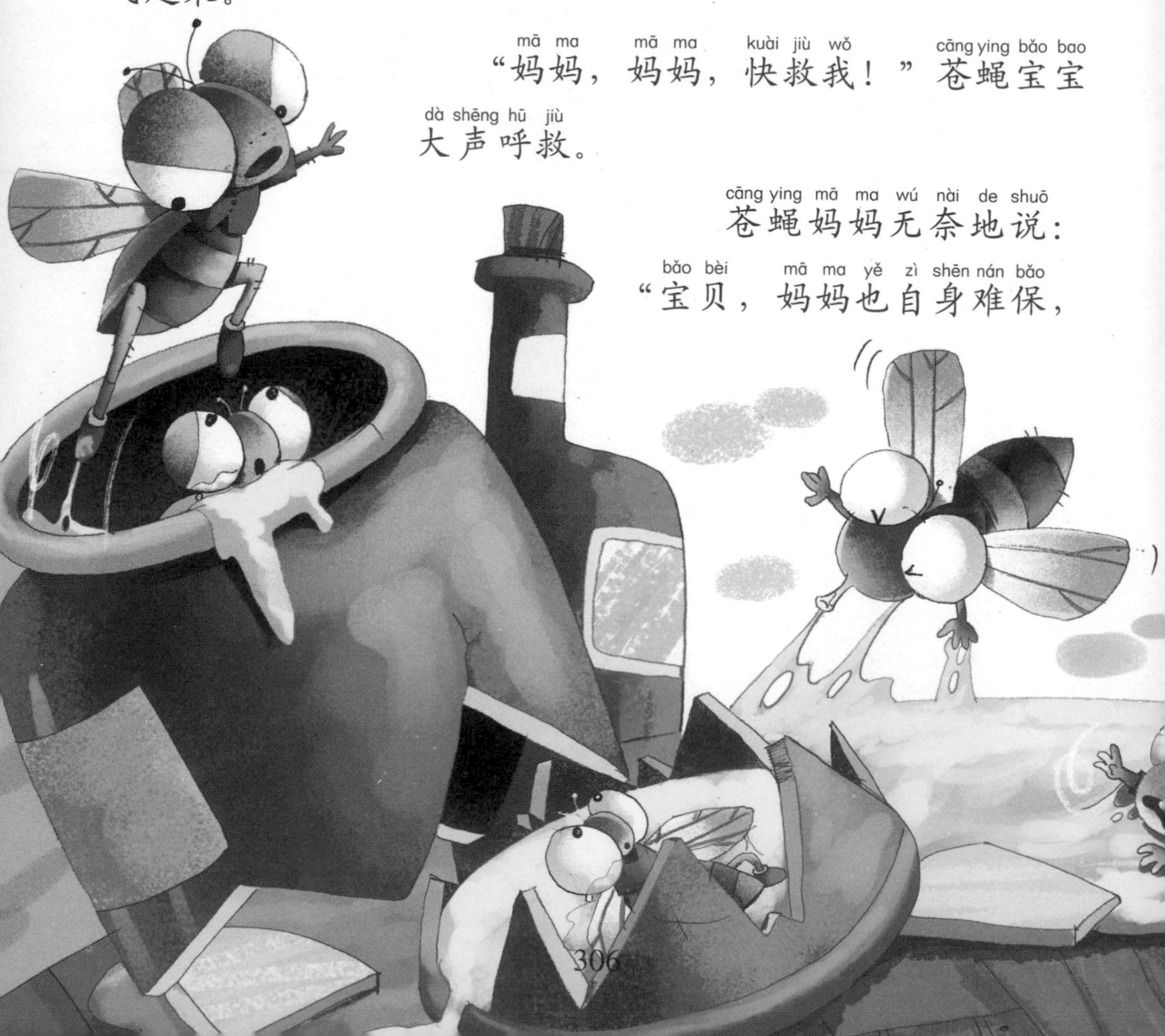

zhè cì zhēn de jiù bu liǎo nǐ
这次真的救不了你。”

dōu shì nǐ hài de wǒ men zěn me huì yǒu nǐ zhè yàng de lín jū ya zhēn shì sào zhouxīng a
“都是你害的，我们怎么会有你这样的邻居呀！真是扫帚星啊！”

duì ya duì ya wǒ men zhēn shì gòu dǎo méi de ya dà jiā kāi shǐ zé mà tā men yì jiā sān kǒu
“对呀，对呀。我们真是够倒霉的呀！”大家开始责骂他们一家三口。

màn màn de mì táng jìn guo le tā men de shēn tǐ yǎn yǎn yì xī de cāng ying bà ba zài shēngmìng de zuì hòu yí kè ào huǐ de shuō wǒ men zhēnchǔn wèi le xiǎng shòu měi wèi wèi le zhè yì diǎnr xiǎo xiǎo de kuài lè bù jǐn sòng diào le zì jǐ de xìng mìng hái lián lei le dà jiā zhēn bù yīng gāi ya
慢慢地，蜜糖浸过了他们的身体。奄奄一息的苍蝇爸爸，在生命的最后一刻，懊悔地说：“我们真蠢，为了享受美味，为了这一点儿小小的快乐，不仅送掉了自己的性命，还连累了大家，真不应该呀！”

kě shì wú lùn tā men zěn me ào huǐ yě méi yǒu bàn fǎ táo lí bèi yān sǐ de è yùn na
可是，无论他们怎么懊悔，也没有办法逃离被淹死的厄运哪！

rú guǒ nǐ guò yú zhuī qiú piàn kè de huān lè yǔ xiǎngshòu wǎngwǎng huì dé bu dào nǐ suǒ xiǎng yào de shèn zhì lián yuán běn yōng yǒu de yě tǒng tǒng shī qù zuì zhōng nǐ suǒ dé dào de jiù zhǐ yǒu tòng kǔ hé shāng hài bà le
如果你过于追求片刻的欢乐与享受，往往会得不到你所想要的，甚至连原本拥有的也统统失去。最终你所得到的，就只有痛苦和伤害罢了。

yú fū duì yú chuī xiāo
渔夫对鱼吹箫

yǒu yí ge nián qīng de yú fū méi yǒu bǔ yú jīng yàn dàn tā hái shi jué dìng dào hǎi li
有一个年轻的渔夫没有捕鱼经验，但他还是决定到海里
qù bǔ yú yīn wei tā xiāng xìn dào hǎi li néng gòu bǔ dào hěn duō yú
去捕鱼，因为他相信到海里能够捕到很多鱼。

tā xìng chōng chōng de lái dào hǎi biān zhǔn bèi sā wǎng bǔ yú hǎi zhè me dà
他兴冲冲地来到海边，准备撒网捕鱼。“海这么大，
wǎng yīng gāi sā zài nǎ li ne yú fū zhè yàng xiǎng zhe jiù zhāi
网应该撒在哪里呢？”渔夫这样想着，就摘
xia yāo jiān bié zhe de zhú xiāo chuī le qǐ lái tā
下腰间别着的竹箫，吹了起来。他
yǐ wéi yú tīng jiàn měi miào de yīn yuè jiù huì
以为鱼听见美妙的音乐就会
zì dòng tiào chu shuǐ miàn zhè
自动跳出水面，这
yàng tā jiù kě yǐ què dìng sā
样，他就可以确定撒
wǎng de wèi zhi le
网的位置了。

zhè shì duō hǎo de bàn fǎ
“这是多好的办法
ya yě zhǐ yǒu wǒ zhè yàng cōng
呀！也只有我这样聪
míng de rén cái xiǎng de
明的人才想得
chū lái yú shì
出来。”于是
yú fū chuī de hěn
渔夫吹得很

用心。应该说，他的箫吹得真不错，连在海边捡贝壳的小朋友都停下手里的活儿，抬起头来听他吹箫。

然而他吹了好久，也不见鱼儿跳出海面，他很生气，便放下箫，拿起网随便地向海水中撒去。没想到，他网到很多大鱼。

渔夫把网收上来，抓住网底，把鱼从网里倒到一个岩石的坑窝里。鱼一离开水，都惊慌失措起来。

渔夫见他们欢蹦乱跳的，就对他们说："嘿，你们这些调皮的东西！我吹箫的时候，你们不肯跳；现在我不吹了，你们倒跳得这样起劲哪。"

渔夫心满意足地把鱼儿装进了大鱼篓里，背回家里去了。

我的读后感
渔夫自以为用了一个绝妙的方法，捕到了许多鱼，其实鱼根本听不懂箫声。这告诉我们：做事情不要自以为是，最简单的方法也许就是最有效的方法。

shī zi lǎo shǔ hé hú li

狮子、老鼠和狐狸

tiān qì hǎo rè ya rè de dòng wù men hèn bu de bǎ pí dōu tuō xia lai shī zi rè de yǐ jīng méi yǒu yì diǎnr lì qi le tā wú jīng dǎ cǎi de pā zài dòng zhōng chuí xia ěr duo bì shang yǎn jing zhǔn bèi xiǎo shuì yí jiào hū rán yì zhī lǎo shǔ cuān le chū lái yí huìr cóng shī zi de ěr duo shang tiào guo qu yí huìr yòu chě che shī zi de zōng

天气好热呀，热得动物们恨不得把皮都脱下来。狮子热得已经没有一点儿力气了，他无精打采地趴在洞中，垂下耳朵，闭上眼睛，准备小睡一觉。忽然，一只老鼠蹿了出来，一会儿从狮子的耳朵上跳过去，一会儿又扯扯狮子的鬃。

shī zi měng de zhāng kai yǎn jing fèn nù de kàn zhe sì zhōu tā shēng qì le páo xiào zhe dào chù xún zhǎo nà zhī kě wù de lǎo shǔ tā sōu biàn le dòng xué de měi yí ge jiǎo luò měi yí kuài shí tou jué xīn yí dìng yào zhǎo chu nà zhī tǎo yàn de lǎo shǔ

狮子猛地张开眼睛，愤怒地看着四周。他生气了，咆哮着到处寻找那只可恶的老鼠。他搜遍了洞穴的每一个角落，每一块石头，决心一定要找出那只讨厌的老鼠。

zhè shí yì zhī hú li cóng

这时，一只狐狸从

这儿经过，看到这么生气的狮子，他很奇怪，就问狮子：“大王啊，您身为万兽之王，您是那么凶猛神勇，怎么还会害怕一只小小的老鼠呢？”

狮子的鬃都立了起来，他大声说：“我不是害怕他，我气的是他那种不把我放在眼里的态度！”

这个故事告诉我们的是：小小的失礼都可能成为大大的冒犯。

燕子和乌鸦

yàn zi hé wū yā

燕子妈妈和乌鸦妈妈一起出来捕食，闲着没事，就开始比较起她们的羽毛来。她们都觉得自己的羽毛比对方的漂亮，谁也不愿意认输。看着树木的影子越拉越长，她们吵得口也渴了。

乌鸦妈妈突然想起她窝里的那群小乌鸦还等着她带食物回去呢。于是，她说道：“你的羽毛是比我的漂亮，可那有什么用呢？它能帮你挨过寒冷的冬天吗？”

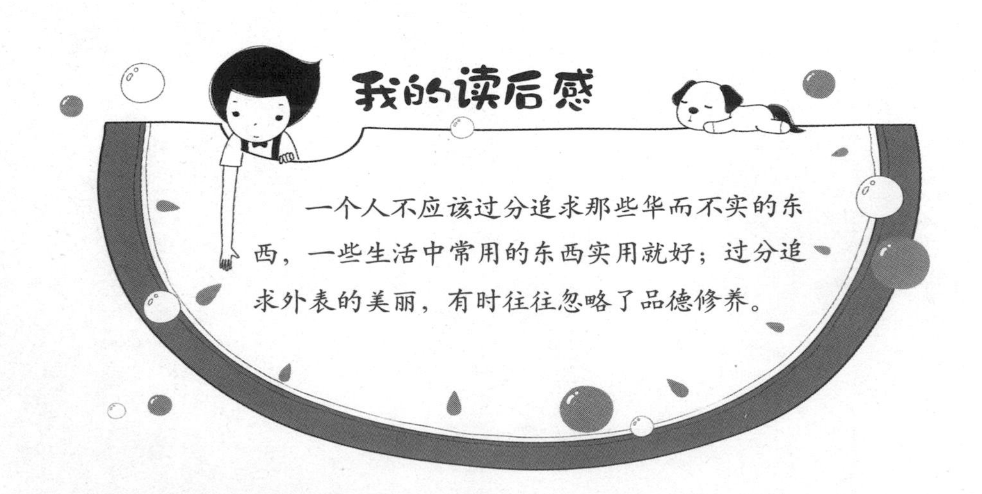

我的读后感
一个人不应该过分追求那些华而不实的东西，一些生活中常用的东西实用就好；过分追求外表的美丽，有时往往忽略了品德修养。

wén zi yǔ shī zi
蚊子与狮子

zài hěn yuǎn hěn yuǎn de dì fang yǒu yí piàn fēi cháng guǎng kuò de sēn lín sēn lín li
在很远很远的地方，有一片非常广阔的森林。森林里
shēng huó zhe hěn duō dòng wù zhè xiē dòng wù dou xiǎng zài sēn lín zhōng chěng qiáng lì wēi
生活着很多动物，这些动物都想在森林中逞强立威。

yǒu yì zhī xiǎo wén zi tā shí shí kè kè dou xiǎng dāng shang bǎi shòu zhī wáng
有一只小蚊子，他时时刻刻都想当上百兽之王。
tā rèn wéi sēn lín li zuì lì hai de yào shǔ shī
他认为森林里最厉害的要数狮
zi le tā zhǐ yào dǎ bài
子了，他只要打败
shī zi jiù néng dāng
狮子，就能当
bǎi shòu zhī wáng le
百兽之王了。
jīng guò yì fān jīng xīn de
经过一番精心的
zhǔn bèi zhè zhī wén zi
准备，这只蚊子
zhōng yú xiàng shī zi
终于向狮子
xuān zhàn le
宣战了。
tā shān dòng
他扇动
zhe chì bǎng fēi
着翅膀飞

到狮子面前，对狮子说：“狮子，我不怕你，你并不比我强大，不信，咱们较量一下。”可惜狮子根本没听见，仍在那儿悠然地闭目养神。蚊子见了，气得火冒三丈，用尽吃奶的劲儿对狮子喊道：“你这头笨狮子，我们来比试比试，看你有什么本事！是用爪子抓，还是用牙齿咬，我都比你强得多。”说着，蚊子吹着喇叭鼓足力气向狮子冲去。狮子这下可慌了，睁大眼睛瞧，还是看不清蚊子进攻的方向。蚊子恶狠狠地向狮子的脸上咬去，他专咬狮子鼻子周围没有毛的地方。狮子左躲右闪，用力晃动着头，张开血盆大口猛扑向蚊子，结果落空了。狮子咆哮起来，挥动他锋利的爪子四处乱抓了起来，但蚊子毫发未损。蚊子高兴极了，向狮子威胁说：“快认输，不然我咬死你。”狮子从来没受过

zhè ge qì tā nù hǒu zhe pū xiàng wén zi bú guò hěn yí hàn yòu shī bài le shī zi
这个气，他怒吼着扑向蚊子，不过很遗憾，又失败了。狮子

qì de wā wā luàn jiào wén zi chèn shì yòu cháo shī zi fā dòng jìn gōng dīng de shī zi yòng zhuǎ
气得哇哇乱叫，蚊子趁势又朝狮子发动进攻，叮得狮子用爪

zi bǎ zì jǐ de liǎn dōu zhuā pò le méi bàn fǎ shī zi luò huāng ér táo le
子把自己的脸都抓破了。没办法，狮子落荒而逃了。

wǒ yíng le wén zi dé yì de chuī zhe shèng lì de lǎ ba chàng qi huān lè de
“我赢了！”蚊子得意地吹着胜利的喇叭，唱起欢乐的

kǎi gē fēi zǒu le tā yì biān zǒu yì biān hǎn wǒ zhàn shèng le shī zi wǒ cái shì zuì
凯歌飞走了。他一边走一边喊：“我战胜了狮子，我才是最

liǎo bu qǐ de wǒ yào dāng bǎi shòu zhī wáng le
了不起的，我要当百兽之王了。”

wén zi dé yì wàng xíng de fēi zhe tā gēn běn
蚊子得意忘形地飞着，他根本

jiù méi yǒu liào dào qián miàn yǐ wēi jī sì fú
就没有料到前面已**危机四伏**（到处都存在危险的因素）。

tū rán tā jué de zì jǐ zuān jin le yí
突然，他觉得自己钻进了一

ge ruǎn ruǎn de dōng xi zhōng shēn tǐ bèi zhān zhù le
个软软的东西中，身体被粘住了。

tā zhēng zhá zhe xiǎng yào lí kāi dàn shì yuè zhēng zhá
他挣扎着，想要离开，但是越挣扎

zhān de yuè jǐn zhè xià tā qīng xǐng le yuán lái zì jǐ bèi
粘得越紧，这下他清醒了，原来自己被

zhī zhū wǎng zhān zhù le yì zhī zhī zhū xiōng xiàng bì lù de
蜘蛛网粘住了。一只蜘蛛凶相毕露地

xiàng tā pá lai wén zi wán quán bèi shèng lì chōng hūn
向他爬来，蚊子完全被胜利冲昏

le tóu nǎo
了头脑，

tā dà shēng duì zhī zhū shuō zhī zhū gānggāng wǒ dǎ bài le shī zi nǐ kuài fàng le
他大声对蜘蛛说：“蜘蛛，刚刚我打败了狮子，你快放了
wǒ nǐ jìng gǎn zhāo rě wǒ bú pà wǒ chī diào nǐ
我，你竟敢招惹我，不怕我吃掉你！”

zhī zhū tīng le lěng xiào dào nǐ gěi wǒ bì zuǐ nǐ zhè zhī bù zhī tiān gāo dì hòu
蜘蛛听了冷笑道：“你给我闭嘴，你这只不知天高地厚
de xiǎo jiā huo nǐ yǐ wéi dǎ bài shī zi shì yí jiàn hěn liǎo bu qǐ de shì qing ma nǐ qiáo
的小家伙，你以为打败狮子是一件很了不起的事情吗？你瞧
qiao xiàn zài nǐ yǐ jīng bèi wǒ zhuō zhù le nǐ jiù děng sǐ ba
瞧，现在你已经被我捉住了，你就等死吧！”

wén zi cháng tàn yì shēng shī zi dōu bú shì wǒ de duì shǒu ér wǒ què nài hé bu
蚊子长叹一声：“狮子都不是我的对手，而我却奈何不
liǎo yì zhī xiǎo zhī zhū zhēn kě bēi ya
了一只小蜘蛛，真可悲呀！”

我的读后感
蚊子战胜了狮子，就得意扬扬，以为自己是百兽之王，结果却被蜘蛛捉住了。我们不能像蚊子一样不知天高地厚，认清自己是最重要的。

聪明的狗和小偷

cōng míng de gǒu hé xiǎo tōu

yǒu yí ge nóng fū zài lù shang jiǎn dào yì tiáo kuài yào è sǐ de gǒu bǎ tā dài hui
有一个农夫在路上捡到一条快要饿死的狗，把他带回
jiā yǎng huó le gǒu hěn gǎn jī nóng fū biàn liú zài tā jiā li wèi tā kān mén shǒuyuàn
家养活了。狗很感激农夫，便留在他家里为他看门守院。

zhè tiáo gǒu yǒu yí ge hǎo xí guàn nà jiù shì tā
这条狗有一个好习惯，那就是他
zhǐ chī zhǔ rén wèi gěi tā de shí wù nà xiē
只吃主人喂给他的食物，那些
xiǎng yòng shí wù lái dú hài tā de rén duì cǐ
想用食物来毒害他的人对此
shù shǒu wú cè
束手无策（一点办法也没有）。

xún cháng de gǒu yì tīng dào fēng chuī cǎo
寻常的狗一听到风吹草
dòng huò fā xiàn rén de yǐng zi jiù huì lì kè
动，或发现人的影子就会立刻
kuáng jiào qi lai qí shí zhè zhǒng hǒu jiào shì xū zhāng shēng shì
狂叫起来。其实这种吼叫是虚张声势，
háo wú yì yì yǒu shí hái lìng rén tǎo yàn
毫无意义，有时还令人讨厌。

hǎo gǒu jué duì méi yǒu zhè ge máo
好狗绝对没有这个毛
bing tā cóng lái bù bǔ fēng zhuō yǐng
病，他从来不**捕风捉影**
（形容言行的立论没有事实

根据，凭空想象）地乱叫，如果他叫起来，一定是发生了什么事情。对待小偷，好狗是先将小偷一口咬翻，然后以叫声通知主人。因为这个原因，这条好狗在方圆百里之内都享有盛名，一些小偷根本不敢到他的主人家去行窃。

小偷们时常聚到一起切磋偷技，有时各自吹嘘自己偷东西的本事。某个外地来的小偷大肆炫耀自己的手段如何高明，这引起当地小偷的不满。

某小偷说：“某家有条好狗，你如果能在那里偷来一只鸡，我们愿意让你当头儿；不过，你若失败了，就请你乖乖地走人，不要再胡吹了。”

外地小偷乐意接受这种只赢不输的考验。他问明了路径，准备第二天行动。

小偷先到食品店买了几张香气四溢的葱油饼；

然后将毒药夹在油饼里面，满怀信心地准备偷一只羊，或者一只鸡。他甚至不在乎偷到什么，只想偷得干净利落，让当地其他小偷佩服他。

夜里，黑暗笼罩了村庄，月亮被浓云遮盖得严严实实，透不出半点儿光亮，这确实是偷窃的好时机，小偷心中乐极了。

主人已经安然进入梦乡，只有好狗时刻静静地守护在院内，专注地听着周围的声音。

夜风吹得树叶簌簌作响，好狗不予理会。

就在这时，忽然传来一阵轻微的脚步声，好狗瞪起眼睛注视着篱笆墙，凭经验他知道有生人来了。

突然，有几张葱油饼越过篱笆墙飞进院中，并散发出令狗垂涎的香气。好狗用鼻子嗅了嗅，然后警惕地抬起头来。

小偷觉得太奇怪，隔着围墙问："听说你是一条好狗，真想和你做个朋友。这是送给你的礼物，你为什么不吃？"

好狗说："谢谢您，不太走运的老兄。不过您的好意我不敢接受，是不是让我的主人来接待您？您也许会感到

gèng yú kuài
更愉快！”

xiǎo tōu jiàn zhè gǒu zhè me cōngmíng zhī dào tǎo bu dào hǎo chù zhǐ hǎo qiāo qiāo de liū zǒu le
小偷见这狗这么聪明，知道讨不到好处，只好悄悄地溜走了。

我的读后感
好狗没有被小偷的葱油饼诱惑，而是忠诚地为主人看家。我们不要被别人给的好处收买，要坚持自己的信念。

读者反馈卡

感谢您购买《伊索寓言》，祝贺您正式成为了我们的“热心读者”，请您认真填写下列信息，以便我们和您联系。您如有作品和此表一同寄来，我们将优先采用您的作品。

读者档案

姓名＿＿＿＿＿＿＿＿ 年级＿＿＿＿＿＿＿＿

电话＿＿＿＿＿＿＿＿ QQ号码＿＿＿＿＿＿＿＿

学校名称＿＿＿＿＿＿＿＿＿＿＿＿＿＿＿＿

班级＿＿＿＿＿＿＿＿ 邮编＿＿＿＿＿＿＿＿

通讯地址＿＿＿＿＿＿省＿＿＿＿＿＿市（县）＿＿＿＿＿＿区（乡/镇）＿＿＿＿＿＿＿＿街道（村）

任课老师及联系电话＿＿＿＿＿＿＿＿ 课本版本＿＿＿＿＿＿

您认为本书的优点是＿＿＿＿＿＿＿＿＿＿＿＿＿＿＿＿

您认为本书的缺点是＿＿＿＿＿＿＿＿＿＿＿＿＿＿＿＿

您对本书的建议是＿＿＿＿＿＿＿＿＿＿＿＿＿＿＿＿

＿＿＿＿＿＿＿＿＿＿＿＿＿＿＿＿＿＿＿＿＿＿＿＿

您在使用过程中发现的错误，可另附页。

联系我们：北教小雨文化传媒（北京）有限公司

地址：北京市北三环中路6号 北京教育出版社

邮编：100120

联系人：北教小雨编辑部

联系电话：13911108612

邮箱：beijiaoxiaoyu@163.com

*此表可复印或抄写寄至上述地址

请沿此虚线剪下

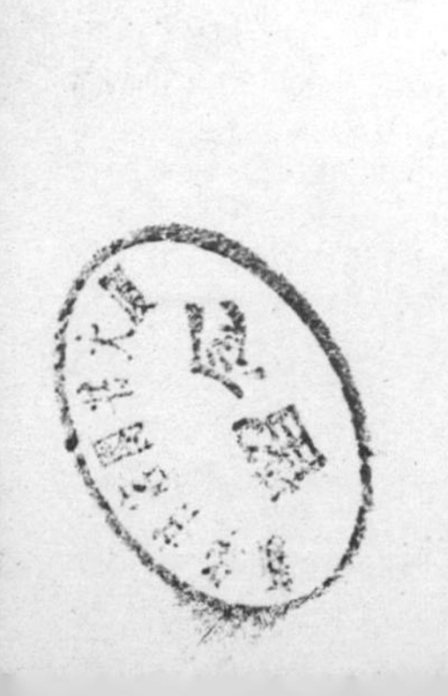